Os Dez Mandamentos (+ um)

Luiz Felipe Pondé

Os Dez Mandamentos (+ um)

Aforismos teológicos de um homem sem fé

TRÊS ESTRELAS

EDITOR Alcino Leite Neto

EDITORA-ASSISTENTE Rita Palmeira

COORDENAÇÃO DE PRODUÇÃO GRÁFICA Mariana Metidieri

PRODUÇÃO GRÁFICA Iris Polachini

CAPA Eliane Stephan

IMAGEM DA CAPA "Moisés desce o Monte Sinai com os Dez Mandamentos", litogravura de Gustave Doré

PROJETO GRÁFICO DO MIOLO Mayumi Okuyama

EDITORAÇÃO ELETRÔNICA Jussara Fino

PREPARAÇÃO Lucas Murtinho

REVISÃO Luciana Araujo e Carmen T. S. Costa

ÍNDICE REMISSIVO Alvaro Machado

Dados Internacionais de Catalogação na Publicação (CIP)
(Câmara Brasileira do Livro, SP, Brasil)

Pondé, Luiz Felipe
Os Dez Mandamentos (+ um): aforismos teológicos de um homem sem fé/Luiz Felipe Pondé. – São Paulo: Três Estrelas, 2015.

2ª reimpr. da 1ª ed. de 2015
ISBN 978-85-68493-11-3

1. Ensaios 2. Fé - Aforismos e apotegmas 3. Filosofia I. Título.

15-03125 CDD-102

Índice para catálogo sistemático:
1. Ensaios filosóficos 102

Este livro segue as regras do Acordo Ortográfico da Língua Portuguesa (1990), em vigor desde 1º de janeiro de 2009.

TRÊS ESTRELAS

Al. Barão de Limeira, 401, 6º andar
CEP 01202-900, São Paulo, SP
Tel.: (11) 3224-2186/2187/2197
editora3estrelas@editora3estrelas.com.br
www.editora3estrelas.com.br

Sumário

Shemá Israel, Adonai Eloheinu, Adonai Echad.
[*Ouve Israel, nosso Deus é nosso Senhor, nosso Deus é Um.*]

ORAÇÃO DO MACHZOR, LIVRO JUDAICO DE ORAÇÕES

"Diz-me, ó Eterno, qual será meu fim e qual a extensão de meus dias, para que eu me aperceba quão fugaz é minha vida." Em alguns palmos dimensionaste minha vida; sua extensão é como um nada diante de Ti; toda a existência humana é como uma total futilidade. Como uma sombra passa o homem pela vida e fútil é sua luta fatigante; acumula riquezas, mas não sabe quem as recolherá.

SALMOS, 39:5-7 (BÍBLIA HEBRAICA)

Esperanças há muitas, mas não para nós.

FRANZ KAFKA

Introdução

Teologia de um selvagem

> Eu reúno minhas ferramentas: a visão, o olfato,
> o tato, o paladar, a audição, o intelecto. A noite caiu.
>
> NIKOS KAZANTZAKIS, CARTA A *EL GRECO*

Este livro foi escrito por um homem que não recebeu o dom da fé. Caminho nos campos do Senhor, como diz a Bíblia, como um cego em um jardim. Aqui está, contudo, a chance de fazer minha teologia. A teologia de um homem sem fé. Foi justamente a falta dela que me protegeu muitas vezes dos abusos da crença "patrimonial", como dizia o filósofo russo Nicolai Berdiaev (1874-1948), um discípulo de Dostoiévski (1821-1881) que morreu no exílio, na França. As religiões institucionais nunca me interessaram. Sou imune a elas. Nunca gastei um tostão com mercadores da fé. Não herdei um conjunto de normas que me atormentasse ao me deparar com a foto de meus pais. Sou livre. Pelo menos da religião, estou livre.

O niilismo tampouco me assusta, pois nunca acreditei em nenhum valor absoluto. Também permaneci imune ao ateísmo bruto, que pensa ser a descrença em Deus uma prova de força intelectual. Não: o ateísmo é o modo filosófico mais fácil. É quase infantil. Eu mesmo me tornei ateu aos oito anos, sem fazer esforço algum. O mundo nos convida ao ateísmo como a operação intelectual mais banal. Talvez por isso eu tenha me encantado com Deus. É a Ele que louvo neste livro.

Deus é o conceito mais complexo já criado pela filosofia e enfrentá-lo é um desafio para qualquer intelecto apaixonado pelos limites do pensamento.

Entre o ateísmo e a fé, tornei-me uma espécie de místico *à la* Nikos Kazantzakis (1883-1957): o abismo invoca o abismo. Como o escritor grego, autor de várias grandes obras – uma delas, *Carta a El Greco,* de particular importância para mim –, sou uma espécie de ateu místico, leitor de Nietzsche (1844-1900) e Dostoiévski, e encantado com a ideia da ascese como descoberta de si mesmo e dos limites do humano. O homem é mais interessante quando se perde.

Deus é também o maior personagem da literatura ocidental. Não sou um crente, mas Ele me encantou desde minhas primeiras leituras da Bíblia, quando eu tinha doze anos. Com a Sua presença, o Universo fica mais elegante. Este livro é, antes de tudo, sobre Deus, seu "mundo literário", a Bíblia, e o código de conduta que Ele nos transmitiu, os Dez Mandamentos, como dizem os cristãos, ou as *mitzvot,* na terminologia hebraica. Ao final, acrescentei um décimo primeiro mandamento. E, de antemão, peço licença ao leitor para realizar esse pequeno exercício de arrogância.

A vocação deste livro é ser um conjunto de pequenos ensaios e aforismos, escritos sob o signo de Nietzsche – um homem que não tinha nenhum artigo de fé, mas entendia mais de deuses do que os próprios crentes, pois sabia que a rota para o mistério é o assalto que este faz ao nosso cotidiano.

O mundo, aliás, está repleto de descrentes que compreendem melhor a Bíblia do que os teólogos. Tanto mais que, atualmente, a teologia se tornou "a louca da casa", envergonhada de sua própria fé. Transformou-se em uma lacaia das modas intelectuais, querendo ser aceita por marxistas, freudianos e foucaultianos, em um mundo afogado em ressentimento e onde todos são mimados e todos se ofendem. Deus concordaria com Nietzsche no desprezo que o filósofo tinha pelo ressentimento. Deus, porém, é misericordioso, justamente porque não precisa sê-lo. Só se pode confiar na misericórdia de quem tem todos os poderes e, portanto, não precisa de nada nem de ninguém, nem tem coisa alguma a ganhar com a própria misericórdia.

Lendo estas páginas, alguns dirão que o Deus de que falo não é o Deus bíblico. Pouco importam detalhes exegéticos técnicos. Minha intenção não é escrever um manual escolástico sobre Deus e os Dez Mandamentos (a própria enumeração não é tão evidente, já que não existe no original bíblico). Meu propósito é, isto sim, fazer a confissão de um apaixonado. É investigar, um pouco à maneira do diretor polonês Krzysztof Kieslowski (1941-1996), o significado eterno e a relevância contemporânea dos mandamentos para nossa vida. Eis por que a monumental série de dez episódios O *Decálogo*, feita por ele para a TV, é uma fonte de reflexão para todos os capítulos.

Este livro também é sobre o nosso mundo atual, concreto e cotidiano. É uma teologia selvagem sobre uma época em que fazemos escolhas o tempo todo, sem saber se estamos tomando as decisões certas nem se o "certo" de fato existe.

Apesar do estilo aforismático, o leitor não encontrará aqui um livro nietzschiano, pois o que realizo nestas páginas é um exercício espiritual cunhado na tradição do povo hebreu antigo. A vida espiritual é uma questão tão urgente que não deveria ser deixada apenas para os crentes. Sua urgência é tanto maior à medida que ela caminha lentamente para o desaparecimento e se torna uma *commodity* no mercado de bens religiosos.

A vida espiritual é opaca às almas obcecadas pela felicidade e pelo sucesso porque há algo de desesperador nela. A espiritualidade é uma travessia do deserto, uma arte difícil para aqueles que têm sede eterna. Não é coisa para iniciantes, uma busca que se improvise. Apenas os que carregam o desespero na alma são chamados a ouvir os demônios do deserto, como diria o filósofo dinamarquês Soren Kierkegaard (1813-1855) e o já citado Kazantzakis. E a voz de Deus é sempre acompanhada por seu coro de demônios. Entre meus demônios, um em especial me acompanha nesse esforço de fazer uma pequena teologia sem fé: Franz Kafka (1883-1924), que escreveu 109 aforismos que contêm muitas reflexões teológicas.

Técnica utilizada por todo escritor que anseia dizer tudo de uma só vez, o aforismo é um modo de nunca dizer o suficiente, de parar antes de completar uma ideia, de abandonar o leitor "do lado de fora" e forçá-lo a esperar, a ler fora de ordem, na esperança de encontrar nas páginas seguintes o que ele não achou no trecho que acabou de ler. Aforismos são como o resto de um pensamento que nunca chegou a se formar plenamente.

Como Kafka, padeço do pecado do pessimismo. Todo melancólico deve ser amado por Deus, pois apenas ele carrega a descrença suprema em tudo. Por isso, o melancólico pode ser, afinal, um bom parceiro para Aquele que não precisa crer em nada. Como dizia Nietzsche, o homem do futuro não terá necessidade de nenhum artigo de fé. Talvez a fé, afinal, atrapalhe a contemplação do Eterno.

Ter fé não é contemplar o Eterno. A espiritualidade de Nietzsche e Kazantzakis não é uma questão de fé, pois não está pedindo nada para Deus nenhum. A fé como expectativa de retribuição ("artigo de fé", na linguagem de Nietzsche) é coisa de quem tem medo, e o Deus de Israel não gosta de covardes.

Por fim, o que o leitor encontrará a seguir, se posso assim dizer, é meu pequeno testamento teológico. Um pequeno testamento para quem entende que não é a fé a matéria essencial do Velho Testamento, mas sim a intimidade com Deus e a coragem de viver com Ele. Nestas páginas coloco o que penso de mais verdadeiro sobre Deus e seus eleitos, esses atormentados. Busco realizar um pequeno tratado místico sobre o que Deus quer quando fala com Seu povo e inscreve Sua lei eterna, os Dez Mandamentos, nos corações de pó dos homens e das mulheres – de todos nós.

Este livro não pretende ser uma introdução histórica aos Dez Mandamentos. Ao contrário, está muito mais próximo dos velhos manuais de espiritualidade em que um autor reflete sobre Deus, a Bíblia (que é, afinal, um livro sobre a vida de um povo da Antiguidade, os hebreus) e o cotidiano .

Os Dez Mandamentos fazem parte do *Êxodo* [*Shemot*], segundo livro da Torá (que reúne os cinco primeiros livros da

Bíblia hebraica), escrito provavelmente por volta de 1200 a.C., quando da fuga dos judeus do Egito – o que levaria a atribuir a sua autoria a Moisés.

Essa datação, porém, é objeto de controvérsia entre especialistas, e alguns entendem que o *Êxodo* talvez tenha sido escrito em cerca de 700 a.C., portanto não por Moisés, mas por alguém que teria remetido ao grande legislador e à sua época.

Trabalho com duas versões dos Dez Mandamentos. A mais longa é a original, tal como encontrada na Bíblia hebraica, que os cristãos chamam de Velho Testamento. Para os judeus, trata-se de um conjunto de obras cosmogônicas, históricas, de sabedoria, profecia e poesia místicas.

A versão curta é aquela que o senso comum tornou tradição no dia a dia – e até no cinema –, e a que fiz pequenos ajustes para deixar mais claros os mandamentos.

Como disse, a Bíblia não enumera os Dez Mandamentos, e o texto de cada um deles pode ter inclusive formulações um tanto diferentes, o que às vezes causa ansiedade em espíritos que buscam uma prescrição didática, simples e unívoca. No entanto, apesar das variantes, o conteúdo teológico-moral é sempre o mesmo, não importa qual seja o "texto final": aprender a ser um homem e uma mulher diante do Eterno.

Um exemplo dessa instabilidade é a edição da Bíblia hebraica da editora Sêfer (que uso ao longo do livro como fonte básica do texto), em que a numeração que aparece entre colchetes de 1 a 10 na frente de cada enunciação do capítulo 20 do *Êxodo* não remete necessariamente a uma lógica de comentário moral ou teológico. Basta ver que nela o "Primeiro Mandamento" seria apenas a apresentação de Deus como Aquele que tirou o povo do Egito, sem nenhuma referência a algum imperativo divino, como estamos acostumados a pensar ao se tratar dos Dez Mandamentos.

Tampouco está clara a numeração de 1 a 10 na Bíblia TEB (edição ecumênica para os cristãos), de forte valor acadêmico e crítico, ou na Bíblia de Estudo de Genebra (importante no meio calvinista e presbiteriano, com rico aparelho crítico, conhecida como a "Bíblia de Calvino"), ou ainda na edição católica Ave Maria, também traduzida diretamente do hebraico e do grego.

A solução que dei para o problema foi seguir a numeração consagrada pela tradição e o senso comum, que é a mesma utilizada em *O Decálogo*, a série de Kieslowski que serve de guia a este ensaio. Tal numeração nunca feriu o teor moral, teológico e bíblico dos mandamentos e é bastante adequada ao espírito destes meus aforismos selvagens que tentam captar a espiritualidade de um povo antigo em convívio cotidiano com seu Deus, o Eterno.

O Primeiro Mandamento

Amarás teu Deus acima de todas as coisas.

Na Bíblia hebraica:

Eu sou o Eterno, teu Deus, que te tirei da terra do Egito, da casa dos escravos. Não terás outros deuses diante de Mim. Não farás para ti imagem de escultura, figura alguma do que há em cima nos céus, abaixo na terra e nas águas debaixo da terra. Não te prostrarás diante deles nem os servirás, pois Eu sou o Eterno, teu Deus, Deus zeloso, que cobro a iniquidade dos pais nos filhos, sobre terceiras e sobre quartas gerações aos que Me aborrecem, e faço misericórdia até duas mil gerações aos que Me amam e aos que guardam Meus mandamentos.

OS ELEITOS

Sabemos que o Deus de Israel não gosta de covardes. Por isso escolhe os mais fortes. São Seus eleitos.

"Eleito" é uma categoria bíblica e, apesar de também significar alguém que tem intimidade com Deus, não é a mesma coisa que "místico", um termo mais típico da tradição de comentadores judeus e cristãos posteriores ao tempo bíblico (cerca de 4 mil anos antes de Cristo). Os eleitos são esses infelizes abençoados com o tormento de ter a mão de Deus sempre suspensa sobre suas cabeças.

Diz o filósofo judeu Abraham Joshua Heschel (1907-1972) que mesmo os profetas temiam essa intimidade com Deus. Jeremias lamentava que Ele não o tivesse matado no útero de sua mãe. Jonas fugiu como pôde do olhar divino, escondendo-se na barriga de uma baleia. Jesus tentou fugir. Jó, o servo sofredor, é um grande exemplo da agonia que é ter sido eleito por Ele. Todos os heróis bíblicos – eleitos dentro do povo eleito, na maioria das vezes – sabiam do peso causado por essa proximidade com Deus.

Quem é o eleito, para a sabedoria hebraica? É aquela ou aquele escolhido para mostrar ao mundo o que pode Deus e o que Ele quer da Sua criação. É uma interpretação muito diferente da que vigora entre os pentecostais, para os quais eleito é aquele que vai ficar rico. Não. Um homem é eleito para sofrer, e ele tem menos livre-arbítrio do que os indivíduos comuns. O povo eleito é um povo de sacerdotes que carrega o sagrado em si – um encargo pesado, muito mais do que pode aguentar grande parte das pessoas. A ideia vulgar de que o eleito é aquele que Deus escolheu para "ser mais amado por Ele" pode levar a um equívoco crasso: achar que, por isso, o escolhido está acima dos padecimentos da vida. O eleito talvez seja mais amado porque, ao elegê-lo, Deus fez dele um condenado.

O DESERTO E O ESPÍRITO

Deus fala a Moisés e seu povo em um deserto e em uma montanha, do alto da qual o profeta pode ver mais longe. Pouco importa que nunca tenha sido encontrada uma montanha no Sinai que se adéque à descrição bíblica. Qualquer pequena elevação serviria a tal momento sublime para um povo atordoado diante de Deus-Eterno, que decide colocar a eternidade justamente no centro da vida desse povo, como diz o livro judaico de orações (*Machzor*).

O deserto seca o corpo e a alma. Gordura, peso, mentiras, ansiedades e expectativas se exaurem na paisagem árida, infinita e indiferente. Com o esvaziamento do corpo e a dor da alma, o espírito vem à tona. O crítico Otto Maria Carpeaux (1900-1978) dizia que, quando o espírito se levanta, o corpo cai de joelhos. O que significa isso? No judaísmo não existe a prática de ficar de joelhos diante do altar, mas a atitude espiritual dessa religião diante de Deus é a mesma. A ideia de Carpeaux é que a percepção pura do divino e do belo nos leva à reverência natural. Quem nunca reverenciou nada do fundo de sua alma nunca teve seu espírito erguido no espaço e no tempo.

A presença de Deus no meio do deserto ergue o espírito e enche os olhos de lágrimas. Isso é comum nas narrativas bíblicas e no modo como elas são representadas pelo cinema. Na Bíblia, o que importa acontece no meio do deserto porque lá tudo se transforma em pó e apenas o Eterno resiste, assim como resiste o espírito dos eleitos para testemunhar a presença divina. Em meio ao medo, à dor e às expectativas, na fronteira entre a exaustão do corpo e a lucidez insuportável (que nos leva a ver que tudo o que existe é apenas vento que passa, como diz o *Eclesiastes*), ouve-se a voz do Eterno.

MÍSTICA

Os primeiros padres da Igreja Católica, como o grego Gregório de Nissa (335-394), que viveu na Capadócia (hoje parte da Turquia), costumavam dizer que Deus colocara suas tendas nas trevas. A metáfora acerca de um Deus que habita o deserto, como seu povo, revela o Seu caráter misterioso. Como dirão os místicos, o mais essencial de Deus sempre permanece desconhecido ao intelecto, já que ultrapassa o homem. Por isso os judeus dizem que o nome de Deus é impronunciável e que Ele não tem representação nem na linguagem nem no pensamento. Deus é transcendente exatamente porque ultrapassa a linguagem, o pensamento e a natureza. E essa transcendência é "violenta". Por isso os judeus, quando invocam Deus, cobrem suas cabeças e viram de costas para a arca onde se guarda a Torá nas sinagogas, uma espécie de "altar". Diz a tradição que ninguém pode ver a face de Deus e sobreviver.

"Mística" é uma palavra que descende do grego antigo e nos remete aos mistérios que só os iniciados conheciam. Segundo a literatura mística judaica e cristã, apenas alguns poucos conseguem ver a face divina sem perecer. Depois disso, têm suas vidas transformadas. Essa "visita", como diz a tradição ortodoxa cristã, faz o místico transfigurar ou "taborizar" – em referência à Transfiguração de Cristo no monte Tabor, quando Jesus é chamado de "Filho" por uma voz vinda do Céu, e a natureza humana combina-se com a divina. O intelecto do místico, sua vontade e seu espírito passam a carregar as marcas desse Deus que habita as trevas. A personalidade do místico revela o "comportamento divino", marcado pelo esquecimento de si mesmo, pela generosidade e pela misericórdia, que são os maiores predicados do Eterno.

ETERNIDADE

Quando os judeus rezam, comumente se referem a Deus como Aquele que colocou a eternidade no seio do seu povo. O que poderia representar essa vida com a eternidade na alma e nas relações? Os cristãos, ao se tornarem herdeiros da tradição israelita, também são convocados a viver com essa eternidade espreitando-os pela fresta da porta.

No judaísmo, muitas coisas importantes entram pelas frestas. No livro *Cântico dos Cânticos*, a princesa percebe a passagem do seu amado pelo cheiro de mirra que entra pela fresta da janela. O próprio Messias entrará pela fresta da porta. Esse olhar dedicado à "fresta" ou à "brecha" nos leva à importância que os rabinos dão aos detalhes do Talmud, livro sagrado de comentários à Torá, chegando eles a suspeitar de que Deus esteja nos detalhes. Estar desatento a eles é levar uma vida perdida em fragmentos desconexos. Afirmar que Deus está nos detalhes é o mesmo que dizer que o sentido maior da existência também está neles. Posso não ser um crente e ainda assim perceber a importância de uma moral que nos convida a não sermos generalistas.

Viver com a eternidade na alma significa habitar dois mundos. O primeiro é o da história unicamente humana, que permanece efêmero se comparado ao segundo, onde o tempo nunca acaba, pois nunca passa. Neste, a matéria e seu vazio nada causam. Quando Moisés, que ainda era um pastor comum, sobe ao monte Sinai, ele vê uma sarça tomada por um fogo que não a consome. Deus manda, então, que ele tire suas sandálias, porque estava pisando em um solo sagrado. Nesse momento, revela-se a eleição de Moisés como aquele que deve tirar o seu povo da escravidão – tema ao qual Deus voltará no Primeiro Mandamento, ao lembrar o quanto esse povo deve a Ele por isso.

Moisés reage como qualquer um faria e tenta escapar desse encargo. Porém, como sempre acontece aos heróis bíblicos, não há saída diante da vontade do Eterno. A árvore que arde mas não é consumida pelo fogo representa justamente a entrada da eternidade no tempo da matéria e da história. É sempre um escândalo, como diz Heschel, quando a eternidade se faz concreta no mundo e na alma.

Por causa do peso da presença do Eterno dentro de si, a alma quase sucumbe. Ao se referir a Deus como o Eterno, os israelitas marcam a diferença temporal entre nosso mundo e aquele que percebemos como transcendente. Em razão dessa diferença, tudo tende a se tornar pó. Por isso Abraão, outro eleito, quando vai se dirigir ao Eterno, refere-se a si mesmo como "pó e cinza". A eternidade esmaga a criatura.

O Deus israelita – em suas duas versões, judaica e cristã – interfere na história de modo concreto. Isso leva seus eleitos e crentes a se depararem com uma vida cujo significado nunca é suficiente se pensado apenas em termos históricos.

Kierkegaard foi um dos que mais profundamente pensaram a existência humana rasgada pela eternidade. Para ele, somos uma síntese de finito e infinito, e isso se manifesta não só nos anseios de vida eterna que temos (e que são um traço comum a muitas religiões), mas também em uma carga afetiva que Kierkegaard descreveu como *angústia*, provocada pelo fato de sentirmos que, pela fresta da eternidade, um infinito de possibilidades nos espreita. A eternidade implica um assustador elenco de possibilidades e multiplica infinitamente o campo de significados de tudo o que nós fazemos e sentimos. Isso nos leva facilmente à angústia, pois a própria infinitude parece desenhar uma espécie de abismo diante da alma do homem. Somos seres feitos de abismos.

Os personagens bíblicos são homens e mulheres que caminham trazendo em si esse dilaceramento que os animais não conhecem. Eles caminham sobre abismos e tumbas. Por isso, sua psicologia, como diz o crítico alemão Erich Auerbach (1892-1957), se assemelha à de um personagem que é arremessado contra uma parede de desafios. Esses personagens amadurecem à medida que vivem a parceria desafiadora com o Eterno, que os faz sofrer e experimentar Sua misericórdia ao longo das gerações, unindo-as por meio de um "contrato". Já dizia o filósofo britânico Edmund Burke (1729-1797): "A sociedade é uma comunidade de almas que une os mortos, os vivos e os que ainda não nasceram".

IDOLATRIA

Quando Moisés desce do monte Sinai (que ninguém sabe exatamente onde fica no deserto que leva esse mesmo nome e hoje é parte do Egito), quarenta dias depois de seu retiro no alto da montanha, encontra o povo cultuando um ídolo na figura de um bezerro de ouro. Ou seja, ele já encontra o povo negando o Primeiro Mandamento, de certa forma o mais importante de todos, pois define a relação entre Israel (a humanidade) e Deus, seu Criador.

Se voltarmos à versão longa do Primeiro Mandamento, veremos que ele faz alusão direta ao fim da escravidão no Egito. A primeira parada significativa do povo de Israel depois da libertação foi exatamente aquela para receber os mandamentos do seu Libertador. E, apesar disso, o povo revela sua infidelidade – sentimento que não diz respeito exclusivo à natureza do povo israelita (como pensam os antissemitas), mas que é compartilhado pela humanidade inteira, uma vez que a Bíblia é uma meditação sobre a condição humana, como toda literatura antiga de natureza mítica.

A humanidade é ingrata porque assimilamos rapidamente os ganhos e, assim, não damos valor a nada que recebemos. O destino do Bem é ser desvalorizado e, como se diz em inglês, *taken for granted* [dado como certo]. Maquiavel (1469-1527) disse que o Bem se faz aos poucos e o Mal de uma vez só, porque é de nossa natureza esquecer rapidamente o bem que recebemos e nunca o mal que sofremos.

A idolatria, porém, é mais do que uma querela sobre o culto a figuras de pedra – e isso talvez seja o ponto principal do Primeiro Mandamento e de toda a Bíblia hebraica. Fora os ídolos esculpidos, qual é o erro do idólatra? É adorar sua própria capacidade, esquecendo que somos seres insuficientes, isto é, que não detemos em nós mesmos as condições para superar a morte ou encontrar o sentido da vida. No âmbito da

Bíblia hebraica, o personagem Deus marca justamente o limite absoluto à nossa suficiência. Viver com Ele significa tomarmos consciência dessa nossa insuficiência essencial.

Se tirarmos Deus da equação, sobra a ideia de que somos seres perdidos em uma contingência que não controlamos e cujo sentido não compreendemos. Essa limitação produz em nós o anseio por encontrar um sentido maior para a vida e também obter um consolo quando nos deparamos com o sofrimento, a doença, as frustrações cotidianas e a morte. Por isso, a idolatria aparece, nesse caso, na sua forma mais contundente, ou seja, designando nossa intenção de controlar a vida e de afirmar nossa autonomia absoluta ou autossuficiência.

Para entendermos melhor o erro da idolatria como ilusão de autossuficiência, vamos recorrer um pouco ao conjunto de livros conhecido como "literatura de sabedoria israelita" – *Salmos, Provérbios, Jó, Cântico dos Cânticos* e *Eclesiastes.*

Provérbios fala da tradição dos patriarcas e do modo justo de viver. Diante das contingências e das incertezas da existência, os hábitos e costumes dos antepassados representam um modo "testado" de conduzir a vida. Entretanto, para nós, modernos, entender a tradição como resultado de hábitos experimentados e bem-sucedidos não é coisa fácil. A modernidade finca suas raízes na crença de que nossos antepassados eram guiados pela ignorância e por superstições, já que a eles faltava o conhecimento científico (essa é, aliás, a causa da brutal desvalorização moderna do passado e dos idosos, apesar de tentarmos negá-la com ideias ridículas, como "a melhor idade").

Além disso, a simples acumulação de comparações culturais, graças às tecnologias da informação e à facilidade com que viajamos para todo canto atualmente, levou-nos à desvalorização do conhecimento dos antepassados e à relativização de seus valores.

Porém, diante das incertezas que a modernidade gerou, da ambivalência e da insegurança em razão do caráter líquido das regras contemporâneas de vida, do efêmero que rege nossos vínculos com o mundo, da epidemia de narcisismo e da mercantilização, no mundo pós-moderno muitos tentam reconstruir tradições, embora sem nenhum sucesso, exceto os grupos religiosos fundamentalistas e seitas ambientalistas fanáticas, ainda assim condenadas ao ridículo, à violência extrema e, portanto, ao isolamento. A perda das tradições, entretanto, é reconhecida como uma dificuldade do mundo moderno a ser enfrentada. Mas não há muita saída para essa situação.

No livro *Provérbios*, o primeiro estágio para a sabedoria é lembrar que os antepassados sabiam o que estavam fazendo. Para nós, em uma época em que predomina a arrogância do saber científico, é evidente que o reconhecimento do valor do passado é uma confissão de humildade. A crítica à idolatria aqui se concentra na crítica à crença nas "rupturas" da modernidade em relação ao que nos foi legado. A ideia de que o conhecimento estabelecido é um antídoto cético à fé indiscriminada em nossas invenções modernas (o modo moderno de idolatria) é essencial para entendermos o caráter trans-histórico dos Dez Mandamentos.

Já o ensinamento do *Eclesiastes* fala de nosso lugar no Universo – e por isso alguns afirmam que é o livro por excelência sobre a cosmologia bíblica. Ao repetir que tudo que existe debaixo do Sol (portanto, no mundo criado) é pó, vaidade (*vanitas*, em latim, significa tanto "vaidade" quanto "vazio"), nuvem de nada e vento que passa, o "cético da Bíblia", como dizem muitos, nos lembra que, exceto Deus, tudo mais é efêmero.

A consciência da efemeridade deve nos acompanhar, mesmo que sem a fé em Deus. Tal consciência nos permite entender o lugar que ocupamos no Cosmos – lugar que é tido como humilhante por aqueles que acham que deveria existir outro: o nosso é o mesmo lugar do pó.

A idolatria nos leva a pensar que, ao fazermos promessas aos ídolos, estes nos tornarão seres mais poderosos do que somos. De Sua parte, porém, o Deus de Israel parece considerar essencial lembrar-nos que Ele nada deve a nós e que só com essa consciência da efemeridade podemos nos aproximar Dele.

Nossa fraqueza dificulta tal consciência por causa do sofrimento evidente que ela nos causa. O cristianismo, quando apartado da sua origem hebraica, muitas vezes acaba por trancar Jesus em uma relação de retribuição (a famosa teologia da retribuição, que com um pequeno salto se transforma na teologia da prosperidade dos neopentecostais contemporâneos), o que faz de Cristo mais um ídolo na cadeia infinita de idolatrias que criamos para resolver nosso desespero. A crítica da idolatria, portanto, nos faz encarar o desespero do vazio que habita em nós e o quanto de vaidade existe na tentativa vã de encontrar, em ídolos enganosos, uma muleta para a vida.

Jó é o auge da crítica à idolatria do ponto de vista da sabedoria antiga de Israel. Nele, o sábio nos ensina que ninguém pode ser critério da própria virtude, a não ser Deus. Em sua agonia, tomado por um sofrimento que parece injustificado, Jó clama por uma explicação. Deus, em Sua condição de incondicionado, incausado, imóvel e de Ser que não tem necessidade de justificação, abre no Primeiro Mandamento a Sua tábua de valores para nos advertir que pune ou perdoa gerações inteiras por milênios, segundo Seus critérios e Seus mandamentos.

É somente quando descobre que nem sua dignidade lhe pertence verdadeiramente que Jó consegue perceber que é apenas Deus que escolhe e julga. Sua condição de exemplo clássico de eleito mostra, como tantas vezes diz o rei Davi em seus *Salmos*, como a vida cabe na palma da mão de Deus (uma vez que Ele faz com Jó o que bem quer e nunca aceita ser questionado). *Jó*, portanto, é sobre a idolatria da própria virtude, já que o próprio Jó se crê um homem justo.

O *Cântico dos Cânticos* é o ponto de chegada daquele que vive segundo a sabedoria israelita: ele vai se encontrar face a face com Deus em uma relação de amor – o livro narra a história de amor entre um homem e uma mulher apaixonados. A consequência de uma vida sem idolatria é a chance de viver com Deus em amor, e não sob o regime do medo.

A idolatria é a arte máxima de quem vive sob a égide do medo. E, para deixarmos de ter medo, como dirá o Novo Testamento, temos que perder o medo de perder nossa vida. Isso não significa apenas perder o medo de morrer, mas também não desesperar diante da contingência que nos cerca.

O CIÚME DE DEUS

É comum dizer que o Deus de Israel é ciumento. Ou que Ele exige a exclusividade de culto. É importante perceber que um personagem complexo como Ele – justo, mas exigente e duro, que não explica o porquê das coisas que faz; todo-poderoso, mas misericordioso, apaixonado pelo comportamento de alguns homens e mulheres; enfim, alguém que escapa ao bisturi psicanalítico – não marcaria a literatura e a filosofia ocidentais, como pensam Auerbach e Northrop Frye (1912-1991), se a sua principal característica fosse o ciúme. Pensar que o principal traço desse personagem seja agir como um "mandão" é fazer uma espécie de fofoca ou pastoral barata.

Mais que ficar com ciúme, Ele se irrita com a estupidez humana e sua inclinação a deixar-se levar pela idolatria o tempo todo. Apenas de uma forma Seu ciúme pode ser entendido fora do senso comum empobrecido: Deus é um apaixonado e tem ciúme daqueles que ama, como todos os que amam verdadeiramente o têm.

O IDÓLATRA DE KIESLOWSKI

Uma das idolatrias modernas mais poderosas é a crença de que podemos escapar da contingência através de nossas ferramentas técnico-científicas. E é disso que fala o primeiro capítulo da série *O Decálogo*, de Kieslowski, quando aborda o Primeiro Mandamento. A idolatria se manifesta no personagem de um professor universitário ateu que acredita na capacidade crescente da ciência e da técnica. Sua crença se materializa no projeto de fazer os computadores pensarem, ou seja, de ele ser um "criador" de inteligências artificiais. Segundo a irmã do professor, ele passou a crer, depois que aprendeu a usar a matemática para muitas coisas, que tudo podia ser calculado. Esse é seu engano máximo, que o levará a sofrer tanto no final do episódio.

O professor autoriza seu pequeno filho a patinar em um lago congelado, depois de consultar o serviço de meteorologia e testar pessoalmente a firmeza do gelo. Calculando que a temperatura *x* daria ao gelo uma espessura *y*, o pai acredita que tem controle sobre a solidez do lago. Triste ilusão. A dureza com que Deus se manifesta no filme, segundo o cineasta polonês, está em plena sintonia com sua potência absoluta de fazer o que quiser sem obrigação de retribuição. O Deus antigo parece crer que, sem a humildade como centro de nossa personalidade, sempre sofreremos mais.

Portanto, se fôssemos resumir o teor do Primeiro Mandamento, diríamos que ele nos fala, entre tantas outras coisas, da humildade – virtude capital na Bíblia hebraica porque ela prepara todo o resto. O orgulho, por sua vez, pecado capital de Adão e Eva, é seu contrário. Santo Agostinho (354-430) acrescenta que o pecado original é cegueira, revolta e orgulho. Como assim?

Normalmente, pensamos nos Dez Mandamentos como uma tábua moral. Eles são, no entanto, como tudo na Bíblia, mais do que isso. E não me refiro ao seu valor como documento histórico, mas sim ao seu teor epistemológico ou cognitivo. Na Bíblia, a disposição moral ou ética é a condição de possibilidade do conhecimento. Por exemplo, quem odeia não é capaz de entender certas coisas.

Tal característica não é privilégio do Livro Sagrado. O próprio senso comum diz coisas como "ficou cego de ódio" para se referir ao fato de que um dado sentimento alterou nossa percepção da realidade. O pecado atrapalha nosso pensamento e nossa percepção. Nesse sentido, os mandamentos de Deus não só nos recolocam na rota do modo moral de viver com Ele e entre nós, como também na rota epistemológica ou cognitiva.

Os mandamentos nos fazem mais inteligentes, ao passo que o pecado nos faz menos inteligentes. A relação entre inteligência e moral na filosofia data pelo menos de Platão. As pessoas, no entanto, costumam entendê-la de maneira equivocada. Julgam que, por serem inteligentes, são necessariamente melhores do ponto de vista moral. Na Bíblia (assim como na tradição romântica), a relação funciona ao contrário: se sou moralmente consistente, serei mais inteligente, no sentido de entender melhor as pessoas e como funcionam as coisas no mundo.

Não é outra a função do livro de *Provérbios*: ele ensina que há sabedoria moral na experiência acumulada dos antepassados e que, quando a percebemos e experimentamos, entendemos melhor a nós mesmos, aos outros e ao mundo.

Essa inteligência não é a dos "calculadores, sofistas e economistas" dos quais fala Edmund Burke, mas a dos românticos, aquela que parte do centro da personalidade, levando em conta a razão e o abismo dos afetos, de uma personalidade "integrada" (na qual pensar e sentir se relacionam, em vez de se excluírem mutuamente). Por isso a moral bíblica nunca foi uma moral dos "bonzinhos", mas sim a de quem atravessa os infernos da alma e se sabe habitado pelo desespero. Como no Romantismo, o herói bíblico é alguém que atravessa sempre o deserto de si mesmo, aquele local habitado por mil demônios.

A humildade, portanto, é o contrário do orgulho que nos cega por querer negar nosso medo íntimo causado pela insuficiência ontológica essencial. Cegados pelo orgulho, nós nos tornamos incapazes de perceber como temos medo (como diz Fiódor Karamázov, o pai monstruoso do livro de Dostoiévski, ao monge Zossima). A revolta surge justamente deste fato: o desespero "mal cuidado" se disfarça de petição de direito, ou, em termos nietzschianos, de ressentimento. Achamos que deveríamos ser deuses e, como não somos, nos revoltamos.

Para o sábio bíblico, a única saída é olhar de frente para esse vazio que nos rodeia e perceber que somos pó e cinza, como lembrou o patriarca Abraão. E assim, como talvez dissesse Kierkegaard, dar o "salto na fé", obtendo outra qualidade de afeto e de ser, graças à leveza que se apodera de nós ao nos conscientizarmos de que somos pó, como desejado pelo Criador.

O Segundo Mandamento

Não invocarás o Santo nome de Deus em vão.

Na Bíblia hebraica:

Não jurarás em vão em nome do Eterno, teu Deus; porque o Eterno não livrará ao que jurar em vão pelo Seu nome.

OUVE ISRAEL (*SHEMÁ ISRAEL*)

Esta é a maior oração israelita: "Ouve Israel, nosso Deus é nosso Senhor, nosso Deus é Um". O leitor deve pensar nela como uma frase dita no Sinai por Moisés, o legislador, aquele que recebeu os Dez Mandamentos e a terrível missão de organizar um povo de pastores. É esse povo recém-saído da escravidão de quatrocentos anos no Egito, amedrontado principalmente pela ideia de que foi eleito pelo Criador, que ouve um Deus duro, todo-poderoso, dono e rei do Universo (*Melech haOlam*).

Como dialogar com Aquele que não precisa de nada nem de ninguém? Quem pouco entende de eleição divina acredita que ela seja uma relação pautada pelo "mimo". Engana-se. Essa oração é dita pela boca daqueles que temem a resposta de Deus. Aliás, ao afirmar que nunca devemos usar o nome de Deus em vão, o Segundo Mandamento busca significar exatamente isto: cuidado ao invocá-Lo porque Ele pode se aproximar, e quando o faz tudo se dissolve.

No entendimento da "física" ou da ontologia bíblica, o ser é sustentado constantemente pela vontade de Deus.

Não há na Bíblia hebraica, como mostra o filósofo judeu-alemão Leo Strauss (1899-1973), o conceito grego de *physis*, ou seja, de uma natureza autônoma. A totalidade dos entes – *Olam*, como se diz em hebraico – existe em relação contínua uns com os outros graças à vontade permanente de Deus. A expressão comum na Bíblia hebraica "se Deus virar Sua face" não quer dizer outra coisa: quando falta a Sua vontade, o ser desaparece.

Não há autonomia ontológica: tudo é milagre. O milagre na Bíblia hebraica é toda a Criação – o ser, portanto. Milagre não é o Mar Vermelho se abrir para dar passagem ao povo judeu vindo do Egito. Milagre, isso sim, é a existência do átomo que faz a água ser água.

O filósofo judeu Baruch Espinosa (1632-1677) entendeu mal o conceito hebraico de milagre porque supôs que fosse a suspensão das leis naturais, quando na realidade ele é a simples existência do ser como um todo. Testemunhar um milagre não é ver acontecer algo que contraria as leis naturais, mas sim constatar o ser como fruto da vontade de Deus. Por isso, invocar Deus é invocar a vontade que tudo cria. A vontade de Deus sustenta a existência da matéria e do pensamento.

HAMANN E O MUNDO SATURADO DE DEUS

O mundo hebraico é "saturado de Deus" – ideia que remete a um filósofo que muito se aproxima do meu modo de pensar a teologia bíblica: Johann Georg Hamann (1730-1788).

Pouco conhecido, exceto por aqueles que estudam Romantismo, Hamann foi chamado de "o mago do Norte" e era ele mesmo um homem "saturado de Deus". Na classificação do filósofo Isaiah Berlin (1909-1997), Hamann foi um "protorromântico" e é dele uma das concepções teológicas que me parecem mais em consonância com a Bíblia hebraica. O motivo que me leva a trazê-lo para minha teologia selvagem não é o fato de ele próprio ter sido, em muitos aspectos, um "selvagem", seja em suas polêmicas – para muitos, heréticas –, seja em sua escrita – fragmentada e aforismática. Evoco-o neste livro por causa de sua concepção da relação entre Deus, os homens e o mundo.

Hamann era um inimigo do Iluminismo e da mania racionalista. Também era contra a igreja instituída, como seria mais tarde Kierkegaard. Filho do movimento pietista e místico, Hamann guardou em si a desconfiança em relação ao mundo e suas instituições, enquanto preservava a fé em uma relação direta com Deus. Ele vivia em um mundo hebraico, e nesse mundo a vida é uma constante invocação de Deus. Para ele, conhecer, plantar, amar, odiar e morrer eram maneiras de experimentar a relação com o divino – relação que se dá em um presente contínuo e na qual a escrita e a leitura são ações tão concretas quanto quaisquer outras. Para ele, ler era conversar com Deus, que criou o mundo "pensando as pedras".

O que seria para nosso mago do Norte "entender" erroneamente Deus? Seria querer capturar Deus, mas também o próprio mundo, a vida, as relações, as pessoas e a si mesmo como conceitos ou substâncias. Há aqui um sofisticado desprezo pela metafísica que só espíritos místicos compreendem. Hamann entendeu como poucos o equívoco da metafísica ao querer "trancar" Deus e Sua criação em uma hierarquia de substâncias. Para ele, a modernidade era estúpida justamente porque criara uma "nova metafísica", o racionalismo científico, como forma máxima de pensar e de se relacionar com o mundo. A metafísica sempre foi uma forma de morte. Hamann pensava que o Iluminismo e seu racionalismo eram vãos e ridículos em sua pretensão, diríamos ele e eu, idólatra. A metafísica – seja ela a medieval com suas "substâncias" abstratas, seja ela a iluminista com suas "substâncias" atômicas – nunca entendeu a sutileza de quem fala de algo que se sente como um afeto, mas que não cabe na literalidade de um conceito.

Para os hebreus, assim como para Hamann, também era muito importante qualificar a maneira da invocação de Deus (ou seja, "chamá-Lo" de modo correto e não como um "pedinte" ou como alguém que brinca com o que não se deve brincar), uma vez que invocá-Lo era inevitável, já que eles viviam imersos na graça e no milagre, suspensos pela mão poderosa e misericordiosa do Eterno, portanto em relação contínua com Ele. Mas o que seria "vão" para um hebreu bíblico?

A VIDA VÃ

A forma mais imediata de se entender a vida no mundo hebraico é como graça, dádiva. Viver é evocar essa graça. É invocar Aquele que é o autor dessa graça. O Deus de Israel entende que o modo mais importante de invocá-Lo é a maneira como conduzimos a nossa vida. Por isso, o Segundo Mandamento, quando alerta para não invocarmos Seu santo nome em vão, está dizendo para não levarmos uma vida vã.

Os livros bíblicos (*Salmos, Provérbios, Jó, Cântico dos Cânticos* e *Eclesiastes*) nos ensinam que a vida sábia é vivida conforme os antepassados e seus hábitos construídos na labuta do dia a dia, pois eles tinham consciência do lugar do homem no Cosmos – um lugar em meio ao pó e refém do vento que passa. A vida sábia é a que se espelha na desses antepassados que, para evitar caírem na pior forma de idolatria – a idolatria a si próprios –, desenvolveram a consciência moral de que não somos o eixo das virtudes e, assim, podiam ver Deus na intimidade de quem amavam, isto é, seus ancestrais.

Podemos pensar que uma vida vã é uma vida oposta a esses critérios. É uma vida que toma o presente como centro de gravidade do tempo, que entende a sabedoria como um inventar-se contínuo, negando assim o "peso do passado". Para a filósofa francesa Simone Weil (1909-1943), tanto o pecado quanto a graça têm *pesanteur* – termo francês que designa mais do que a ideia de peso em si, mas algo como "pesidade", ou aquilo que conta para a constituição de nossa capacidade moral, cognitiva e epistemológica. Como a Bíblia, a obra de Weil parece condicionar o mundo do conhecimento e da episteme ao mundo moral, o que está em franca oposição à atitude científica (galileica, baconiana e cartesiana), para a qual o conhecimento é independente da axiologia moral vivida.

Muitos autores marcados pelo cristianismo como filosofia gravitam nessa relação de condicionamento do conhecimento à moral, como Pascal, Gracián, Dostoiévski, Tolstói, Kierkegaard, Unamuno, Camus e Cioran, que carregam em si noções muito precisas de teologia sem nenhuma fé.

Nesse sentido, a modernidade "científica" é vã porque rompe com o passado que julga não científico e define-se pela autoafirmação contínua de seus próprios valores, sendo ela praticamente impermeável à dúvida cética quanto a si mesma (é o Romantismo, com seu filho mais sombrio, o niilismo, que coloca a grande dúvida à modernidade racionalista e científica).

A cosmologia bíblica se sustenta na consciência do vazio. A vida vã, segundo ela, é a que vivemos quando fechamos os olhos para o vazio ao nosso redor ou para a insuficiência ontológica que nos caracteriza. Aqui, mais uma vez, a invocação vã (ou a vida vivida como se nada tivesse a ver com o vazio que a cerca) se faz um caso da idolatria e de ridículo. Uma vida vã é aquela que toma a si mesma como centro de gravidade. É ridícula, inclusive, porque logo irá se desfazer em poeira.

Conclui-se, portanto, que a sabedoria israelita entende que *não vã* é a vida que assume o vazio que nos constitui e, assim, se coloca em franca oposição à "cultura da autoestima" ou da "autoajuda", marcas do mundo contemporâneo. Esse é um dos sentidos da espiritualidade israelita do deserto – o lugar onde se veem os demônios de cada um. A modernidade nega esses demônios (claro que não estou pensando aqui em demônios "mágicos", mas sim em demônios interiores), na medida em que elege a forma da "autoestima" como sua axiologia moral máxima.

No conto "O sonho de um homem ridículo" (1877), Dostoiévski toca profundamente nesse tema – e não foi por acaso que Freud considerou o escritor russo um "psicólogo" (melhor: um "cientista da alma") ainda mais profundo do que ele. O conto revela o quanto a travessia do deserto interior é fundamental para abandonarmos a vida vã e, assim, sairmos da depressão ou da melancolia, em termos contemporâneos.

No conto de Dostoiévski, um homem decide se suicidar, pois considera o mundo medíocre e falso. Para ele, a vida é vazia e só os idiotas não percebem isso. Um dia, voltando para casa, vê uma bela estrela no céu e decide que naquela mesma noite irá se matar. No momento em que se decide, uma menina puxa sua mão e pede que ele ajude sua mãe, que está doente. O homem empurra a garota e segue firme em seu projeto. Ao chegar em casa, pega o revólver, mas, enquanto reflete sobre sua vida, adormece. Ele tem então um sonho que mudará a sua vida (o simples fato de um sonho ser o elemento que o faz tomar consciência da sua dor já deixaria qualquer analista emocionado...).

Ele sonha que foi levado para um planeta próximo daquela estrela que tinha visto. Lá, percebe que as pessoas vivem em completa paz com a natureza, consigo mesmas e umas com as outras. Elas sorriem placidamente quando ele pergunta que lugar é aquele onde está. O potencial suicida chega à conclusão de que o lugar é um paraíso que deu certo. Sente-se estranho em meio a tanta perfeição. Insiste em falar com alguém e, quando finalmente consegue, várias pessoas se aglomeram ao seu redor, todas querendo se manifestar ao mesmo tempo. Elas começam, então, a agir violentamente. Ele tenta acalmá-las, em vão. À medida que as vê sofrer, sente-se mais próximo delas. No instante em que as pessoas começam a se matar, ele desperta, levanta-se e diz: "Eu vou continuar". E sai de casa, à procura da menina que lhe pedira ajuda. Por quê?

Dostoiévski entende aquilo que o mundo contemporâneo da autoajuda não entende. O nosso suicida desiste de se matar porque descobre que ele foi a "serpente" do outro paraíso. Quando percebe o "mal" dentro de si, desperta da melancolia e resgata o desejo pela vida. Como Freud, Dostoiévski sabe que sobrevivemos enfrentando o desespero, e não seguindo ideias vãs relacionadas à nossa pretensa beleza interior.

Não é à toa que os heróis hebraicos repetem, com humildade e coragem, serem eles apenas pó e cinza que se dirigem a Deus. Esse é o coração do justo, o coração do rei Davi, que sabe que sua vida cabe na palma da mão do Eterno. Em vão os homens mentem sobre sua fragilidade. Ao fazê-lo, tornam-se ainda mais frágeis porque a mentira, mesmo que socialmente tenha um possível efeito "positivo", sempre causa interiormente algum desgaste da vida psíquica e espiritual. Como são fortes aqueles que caminham sobre tumbas, mas correm sem medo, diria o filósofo judeu-alemão Franz Rosenzweig (1886-1929).

Em *O mito de Sísifo* (1942), Albert Camus (1913-1960) discutiu o tema do suicídio em Dostoiévski. Para o pensador francês, o suicídio é o problema central da filosofia. Se a vida é vazia, se temos uma ânsia por eternidade e sentido que nos é negada pela experiência concreta, se o destino do homem é virar pó e pedra, por que não nos suicidamos? Camus era um desses ateus com forte sensibilidade para as questões teológicas – e ele recusa o suicídio. Em seu ensaio *O homem revoltado* (1951), no qual retoma o tema, afirma que a vida absurda (trágica) deve ser vivida como uma revolta contra a falta de sentido, revolta materializada nas criações humanas que enfrentam cotidianamente e sem medo o vazio de sentido da vida.

Foi um modo de Camus enfrentar o niilismo. Mas o niilismo permanece uma questão filosófica porque as condições históricas que o produziram (o desencantamento com a vida gerada pela modernidade e sua fúria materialista, tanto no sentido econômico quanto filosófico) estão em curso até os nossos dias. Poderíamos, inclusive, dizer que o niilismo é ainda mais agudo do que na época em que surgiu porque os elementos que o produziram se tornaram ainda mais dilacerantes: relativismo cultural, acúmulo de informação, perda de vínculos familiares e comunitários, avanços da ciência que desencaixam comportamentos e crenças tradicionais, mercantilização crescente das relações humanas, perda de força da religião entre as populações produtoras do pensamento público...

Enfim, o cenário atual é parecido com o da época de Dostoiévski, e mais radical. A visão de niilismo que o escritor russo tem é, antes de tudo, escatológica. Isto é, vê a modernidade como produtora de niilismo na história. Escatologia sempre significa uma visão de futuro. Essa produção de niilismo é parte essencial da saga espiritual do homem que busca resolver seu drama teológico de autoafirmação risível e, ao final, é forçado a se ver diante do vazio de sentido da vida e da morte. O niilismo é fruto do orgulho, da cegueira e da revolta (como na definição de Santo Agostinho do pecado original) e, nesse sentido, "cura" porque nos leva aos limites escatológicos da dor que eles causam. Essa dor, para Dostoiévski, gera a consciência que cura. O niilismo nos faz sofrer e com isso nos obriga a ver o que não queremos ver, assim como a travessia do deserto no cristianismo antigo.

Como Jó, não podemos presumir que somos moralmente justos. O suicida de Dostoiévski chegou à conclusão de que o mundo não vale nada (o que é uma conclusão possível, levando-se em conta a realidade) e venceu a melancolia porque conseguiu ver a si mesmo como moralmente vazio e distante da perfeição – portanto, como causa do vazio do mundo.

É assim a vida vã (o que, muitas vezes, é difícil de entender hoje, dado o alto estágio de vanidade): eu penso; logo, o mundo é vazio, pois meu pensamento não funda a justificativa do mundo. Como não sou capaz de dar justificação e sentido ao mundo e ao sofrimento, concluo que um e outro não podem ter valor algum. O resultado disso, caso eu seja uma pessoa intelectualmente honesta, é o niilismo. O niilismo para Dostoiévski (e para mim) é um fato histórico que gera agonia: só quem mente não vê que não existe mais fundamento para nenhum valor e que tudo é permitido. Ao mesmo tempo, o niilismo é um espelho no qual se reflete o ridículo de nossa autossuficiência. Todavia, há um "orgulho" possível na consciência niilista em muitos personagens dostoievskianos, entre eles nosso homem ridículo: eles são capazes de se observar "de fora", como o personagem que vê a si mesmo no sonho. Ele era um idiota como todo mundo, mas não sabia disso, porque era um idiota muito "melhor" do que os outros (ele sabia o que os outros não sabiam), assim como Jó era um justo se comparado aos outros.

O sentimento de superioridade (moral, intelectual) pode levar a esquecer como a nossa vida é vã e como nós mesmos somos vãos, e até que ponto nos tornamos presas do engano. Do que se deduz que o justo é o personagem ideal para cair na idolatria de si mesmo, assim como o inteligente é o único capaz de saber quão belo é conseguir achar algum sentido na vida, pois o sentido que o ignorante enxerga nela é frágil como o pó.

Uma vida vã, portanto, é aquela que toma a si mesma como epicentro das coisas. Sendo assim, a invocação de Deus será necessariamente vã quando cheia de cobranças e pedidos. A justa invocação de Deus é sempre um agradecimento. Toda boa teologia é aquela que agradece. Mesmo quando roga, ela o faz sabendo que não deve fazê-lo. Na Bíblia hebraica o "ícone" daquele que jamais invoca Deus em vão é o rei Davi, o Seu bem-amado, o homem que tinha o coração no lugar certo.

AQUELE QUE FAZ O CORAÇÃO BATER

O modo justo de invocar Deus é muito difícil. Antes de tudo, porque invocá-Lo, principalmente de modo consciente, isto é, "chamando-O", é invocar Aquele que faz o coração bater. Deus é o dono do Ser, o que não precisa de nada. Vimos que a questão central do Primeiro Mandamento é justamente entender que Ele é *Melech haOlam*, ou seja, "Rei de tudo que existe" ou "Senhor do Universo". Por isso, adorar ou colocar qualquer outra "coisa" no centro da vida é algo necessariamente ridículo e fadado ao fracasso.

Na Bíblia hebraica temos alguns exemplos da justa invocação, mesmo para "negociações com Deus". O Deus israelita admira a humildade, mas valoriza a coragem. Ele não suporta covardes, por isso todos os seus heróis, aqueles que têm intimidade para "bater boca" com Ele, são corajosos, sejam eles homens ou mulheres. Mesmo em um filme hollywoodiano, como *Os Dez Mandamentos* (1956), de Cecil B. DeMille, o eleito, Moisés (interpretado por Charlton Heston), desafia Deus a aparecer para ele, a fim de que Ele possa ser questionado sobre o sofrimento do Seu suposto povo. Esse detalhe do filme mostra fina compreensão da relação entre o Deus israelita e quem O invoca da maneira justa: com o coração reto, sem medo de mostrar aquilo que sente, sem querer agradar para conseguir o que deseja. Deus detesta quem se finge de "bonzinho". Ele prefere o pecador desesperado.

Entre as esposas de Jacó (chamado posteriormente de Israel), a preferida por ele era Raquel. Estéril, irada, infeliz, idólatra, ela fez de tudo para ter dois filhos, José e Benjamim, que também eram os preferidos de Jacó porque frutos de sua esposa mais amada. Raquel morreu jovem e foi enterrada na "cerca", como se fala no judaísmo do lugar onde se sepultam separadamente aqueles que cometeram algum pecado muito sério, como o suicídio, a prostituição ou a idolatria (o caso dela, que, desesperada com a infertilidade, fez "trabalhos" para deuses). Era Raquel quem conseguia amolecer o coração de Deus quando Ele ficava irado com Seu povo, diz o profeta Isaías. Logo ela, a idólatra! Isaías chega a comparar as lágrimas de desespero da estéril Raquel com as águas do dilúvio nos tempos de Noé, que devastaram o mundo para purificá-lo. Deus não resiste a quem sofre de verdade diante Dele, sem medo. Então, de onde vem o "temor e tremor" dos quais fala Kierkegaard em seu livro?

Em *Temor e tremor* (1843), ele reflete sobre a subida de Abraão à montanha para sacrificar seu filho Isaac a mando de Deus. No momento em que vai realizar o sacrifício, Deus manda-o, em vez disso, cortar apenas o prepúcio (*brit milá*, fazer a circuncisão) de Isaac – o que selaria a aliança entre Ele e os descendentes de Abraão – e sacrificar um cordeiro (os cristãos deduzirão dessa passagem que Deus anunciava Jesus Cristo, o sacrificado para a Nova Aliança).

O importante no livro é a atitude de Abraão, ou seja, como está seu coração nessa subida. O profeta sabe que nem as sensações (estágio estético, na classificação de Kierkegaard), nem as normas de conduta exteriores (estágio ético), nem as doutrinas eclesiais de comportamento (estágio religioso I) podem salvar o homem de seu abismo (seu vazio, sua falta de sentido, sua agonia). Apenas o "salto na fé" (estágio religioso II) pode nos tirar desse desespero que é a consciência humana, na qual a angústia é substância psíquica e não afeto, segundo o filósofo. Esse salto, porém, se dá com "temor e tremor" porque Deus é Senhor do Universo, aquele que nada nos deve e, portanto, não é obrigado a nos dar nada em retribuição.

O Deus israelita, nunca é pouco dizê-lo, não é um Deus da retribuição. Temor e tremor são, justamente, parte da consciência de um coração reto (no hebraísmo antigo se pensa com o coração), que bate junto com a consciência da não retribuição. Deus não precisa retribuir nada, nem nos deve coisa alguma. É essa característica que faz Dele um Ser misericordioso. A misericórdia verdadeira só pode nascer de um poder absoluto, do contrário é uma misericórdia condicionada pela necessidade de ser bom ou de negociar algo em troca.

Por isso, temor e tremor não têm nada a ver com o medo comum. São o afeto justo de um coração que se encontra em presença do Eterno, que tudo sabe e tudo pode e, por isso mesmo, se encanta com a coragem, a humildade e a sinceridade daquele que se postou diante Dele. Só um homem como Abraão pode "bater boca com Deus", porque é íntimo Dele.

Foi, porém, Davi que encantou mais do que ninguém a Deus na Bíblia hebraica. Ambicioso, sanguinário, Davi mandou um de seus generais mais fiéis para uma missão suicida, a fim de ficar com a mulher dele, a bela Batsheva (Betsabá) – voltaremos a esse amor adúltero no Nono Mandamento. Davi cometeu todos os pecados (ambição, ira, luxúria), mas Deus o preferiu entre todos porque ao longo dos *Salmos* ele jamais diz uma única palavra que não seja verdade. Por isso, é conhecido como o homem que tinha o coração no lugar certo. A intimidade de Deus com ele é inigualável. Davi sabe que sua vida cabe na palma da mão do Eterno e que tudo nela é efêmero. A vida passa como uma sombra e é em vão que nos inquietamos, como ele diz no Salmo 39: "Em alguns palmos dimensionaste minha vida; sua extensão é como um nada diante de Ti; toda a existência humana é como uma total futilidade. Como uma sombra passa o homem pela vida... Como medidos em palmos Tu fizeste meus dias, meu tempo de vida é como nada diante de Ti. Tudo é total futilidade – toda existência humana. Em total escuridão o homem faz seu caminho...".

O mundo, a vida, a alma, tudo é insustentável sem a misericórdia de Deus, que tudo reúne e santifica com Seu perdão.

A ADÚLTERA E O LÁZARO

Em *O Decálogo*, Kieslowski demonstra *finesse* em sua análise do Segundo Mandamento. No segundo episódio da série, Dorota, esposa adúltera, procura um médico, que por acaso é seu vizinho, para cobrar dele uma resposta precisa: seu marido (que tem, aparentemente, uma doença terminal) vai ou não morrer? Grávida de seu amante, ela manterá o filho caso seu marido venha a morrer; do contrário, fará um aborto.

O médico, em atitude de absoluta humildade (e com uma pitada de desinteresse), afirma que nada pode dizer com certeza, pois apenas "analisa exames e estatísticas". Irada, a mulher pede que ele rogue ao seu Deus para que a escute. A fim de impedi-la de fazer um aborto, o médico, em um momento de desespero, jura por Deus que o marido morrerá. Mas o marido não morre. Ao final do episódio – uma sequência maravilhosa –, ele entra na sala do médico e diz que voltou do mundo dos mortos (como Lázaro) e que só agora percebe a graça que é poder ter mãos para tocar uma mesa, como a que tem diante de si.

Kieslowski refaz o trajeto do hebraísmo antigo, chegando ao coração do ensinamento do Jesus histórico: Deus, ouvindo a adúltera, realiza um milagre diante do atônito médico, a fim de que este receba a benção (sendo ele próprio um homem honesto e triste) de testemunhar um Lázaro com seus próprios olhos. Nenhum teólogo profissional conseguiria ser tão fiel ao espírito israelita da redenção sem retribuição.

O Terceiro Mandamento

Guardarás domingos e dias de festa.

Na Bíblia hebraica:

Lembra-te do dia de Shabat [sábado] para santificá-lo. Seis dias trabalharás e farás toda tua obra, mas o sétimo dia é o Shabat do Eterno, teu Deus, no qual tu, teu filho, tua filha, teu servo, tua serva, teu animal e teu prosélito que estiver em teus portões não farão nenhuma obra, porque o Eterno fez os céus e a terra, o mar e tudo o que há neles em seis dias e repousou no sétimo dia, e por isso o Eterno abençoou o dia do Shabat e o santificou.

CHOMER, O GUARDIÃO

A primeira e mais evidente questão a respeito do Terceiro Mandamento é quanto à diferença do dia santo a ser guardado: o sábado para os judeus (e os cristãos da Igreja Adventista do Sétimo Dia) e o domingo, dia da Ressurreição de Jesus, para os cristãos. Apesar disso, o imperativo de "guardar" o dia e não trabalhar é comum a ambas as versões do mandamento.

Chomer (em hebraico) é uma importante palavra para os judeus. Todos eles sabem que significa "aquele que guarda", mas que teologicamente representa o modo mais pleno de relacionamento de Deus com Sua Criação. Um homem judeu religioso que respeita o *Shabat* (o sábado) se diz *chomer shabat* (guardião do sábado), e uma mulher, *chomeret shabat* (guardiã do sábado).

Quando Deus fala com Adão, Ele o chama de *chomer*. Por quê? Porque tudo é de Deus e devemos guardar aquilo que nos é dado para guardar. Existe uma interpretação clássica que entende o pecado original como sendo a intenção desmedida de Adão e Eva de serem donos da criação, quando ambos não passavam de guardiães dela. Há uma relação estreita entre os conceitos de graça e de *chomer* porque ambos falam de uma condição de falta que "irrita" o homem caído: a graça implica que nós nada fizemos para receber o que temos, pois tudo é dádiva; *chomer* implica que não temos a posse do Ser, apenas o usufruto, porque Deus é o verdadeiro dono.

O homem herdeiro do pecado original de Adão e Eva considera uma ofensa pensar que é de graça que ele tem o que tem, e não em decorrência do seu próprio mérito. Caberia perguntar a ele de onde tirou a ideia de que a primeira graça de todas – a existência – seria fruto de algum mérito obtido antes de seu próprio nascimento. O mesmo homem considera uma ofensa que não seja dono de tudo, mesmo em face da ridícula situação de que ele não é dono nem de seu próprio corpo...

Por isso, o primeiro sentido de "guardião" é moral, ligado a um fato teológico (conceito de pecado original, ou *des*-graça, em oposição ao conceito de graça) e ontológico, que é nossa insuficiência (o homem não é dono "em sua própria casa" porque não carrega seu ser em si mesmo, como Deus).

Daí, deduz-se o sentido espiritual no judaísmo. Uma pessoa que guarda o sábado e, portanto, é vista como obediente a Deus não apenas realiza a *mitzvá* (o mandamento) com obediência, mas tem para com o tempo e as ações dentro do tempo a justa atitude de reconhecer-se guardião de algo de valor: a Criação e as ações dentro dela.

Devemos ser um *chomer* porque é um modo de lembrarmos a cada instante que tudo isso à nossa volta não nos pertence e é fruto da graça divina. A partir dessa percepção, decorre uma atitude para com a vida que é menos autocentrada, menos apegada a si mesmo e às coisas. É uma atitude em tudo distante de nosso narcisismo contemporâneo, em que a mesquinhez ganha ares de "qualidade de vida".

O TEMPO COMO UMA ATMOSFERA DA VIDA

Guardar dias sagrados é comum em muitas religiões. Mas por que temos calendários? A resposta é simples: para organizar o tempo e a nossa ação dentro dele.

O filósofo darwinista Daniel Dennett (1942) afirma, em *A liberdade evolui* (2003), que a espécie humana, diferentemente de outras, vive em um meio que é tanto material quanto imaterial e em ambos opera a evolução. O meio material, que é mais fácil de ser entendido, é composto de todos os elementos orgânicos e inorgânicos, sólidos, líquidos e gasosos. Já o meio imaterial é menos evidente. Para Dennett, ele é composto de elementos simbólicos, conceituais ou linguísticos. Essa "atmosfera", como diz o filósofo, é o outro ar que respiramos. Talvez, como pensam alguns psicólogos, a "atmosfera de significados" seja até mesmo mais importante para a nossa espécie, que só existe plenamente quando pensa e nomeia as coisas ao seu redor.

Com a dupla referência, Dennett quer dizer que a "atmosfera" imaterial é tão importante para nós quanto a atmosfera material. Nosso cérebro e seu produto imediato, a mente (ou o espírito), "respiram" conceitos, símbolos, significados e letras. E uma das formas mais importantes que essa "atmosfera" assume é a do tempo organizado como calendário, que não se limita aos dias, meses e anos, mas tem uma camada mais profunda (ou mais invisível aos olhos grosseiros), que é o significado que atribuímos às datas ou ao mero passar do tempo.

Os significados podem ser poéticos, religiosos, científicos ou sociais. Estes últimos, como descreve o sociólogo alemão Norbert Elias (1897-1990) em *Sobre o tempo* (1984), se constituem a partir das relações que mantemos e ganham tal autonomia que fundam um "outro mundo". O "outro mundo", que até onde se sabe apenas a espécie humana enxerga (com os olhos do intelecto, diria Platão), é tão concreto quanto são as pedras. Ele funda a arte, a ciência, a eficácia social, a vida do trabalho, a guerra e a paz. Sem ele, não há humanidade nos seres humanos. Ordenar o tempo é, em grande parte, organizar a humanização. Tanto assim que a percepção da convenção temporal faz parte de qualquer teste básico para checar o estado psíquico funcional de uma pessoa.

Portanto, o tempo é uma variável e um parâmetro tão real quanto os limites físicos da matéria, chegando mesmo a se constituir em um desses limites, principalmente da matéria viva e consciente.

Claro que o tempo, essa convenção, sustenta-se também naquilo que ele implica de mudança no âmbito das relações atômicas ou celulares, no mundo biológico e químico, mesmo que nesse caso seja sem maiores significados além da simples geração e degeneração de compostos atômicos e celulares. Dito de forma direta: essa "passagem" é o envelhecimento. A autopercepção desse processo pode ser descrita como um dos atributos da consciência humana. O envelhecimento e a morte são elementos da temporalidade biológica que servem de sustentáculos para grande parte de nossas construções culturais e psicológicas de significado (ou falta de significado).

Além disso, o próprio tempo da Terra, com as estações do ano, é parte da grande narrativa da vida, do regime segundo o qual vive o homem, como aparece no *Eclesiastes*: é o ciclo da natureza, do qual nunca se escapa.

O TEMPO INTERIOR

O tempo é uma das dimensões da "atmosfera invisível" em que se dá a vida e a evolução da espécie, conforme Dennett. Contudo, essa dimensão da vida pode ter um caráter ainda mais interior. Trata-se do "meio ambiente interior", no qual também evolui a espécie e que tem a ver com o mundo propriamente psíquico, tal como o entende a psicologia ou a psicanálise. Nesse nível profundo, as convenções do tempo ganham significados ainda mais essenciais e determinantes.

Em *A negação da morte* (1973), o antropólogo Ernest Becker (1924-1974) diz que nossa espécie teve que lutar para sobreviver à violência da adaptação tanto no meio ambiente externo quanto no interno, feito da vida psíquica. Símbolos e significados constituem um verdadeiro emaranhado na floresta densa que é a vida psíquica, com seus sonhos, seus pesadelos, suas angústias, suas esperanças e seus medos (em particular o medo da morte, que é o tema de Becker).

A ideia de que nesse mundo psíquico também haveria um processo violento de adaptação surge do fato de que o ser humano deve enfrentar situações aterradoras, pois ao longo da vida vai se descobrindo um frágil mortal. Todas as fases de amadurecimento e seus sentidos sociais e psíquicos são, por si sós, um terreno fértil para as pressões desse meio ambiente interior dentro da história da espécie.

A fase final de amadurecimento, conhecida como velhice, é um terreno excepcionalmente fértil para as tentativas de alívio da pressão do tempo "no corpo e na alma". O mundo contemporâneo exerce uma enorme pressão sobre a velhice, ao excluir os idosos do universo de valores, ao mesmo tempo que estende a duração da vida utilizando técnicas médicas e aumentando assim a incidência de depressão nos idosos.

É esse "ambiente" do tempo interior que explica em grande parte a razão de as religiões dividirem o tempo em dois: sagrado e profano. O Terceiro Mandamento, ao dizer que se deve guardar o sábado ou o domingo e os dias de festa, está estabelecendo um significado dentro dessa "atmosfera invisível" humana, demasiado humana, que incide diretamente sobre a vida social, política e psíquica.

TEMPO SAGRADO E TEMPO PROFANO

A oposição sagrado *versus* profano é objeto de grande debate entre especialistas em religião. Não me interessa aqui entrar nos aspectos epistemológicos ou metodológicos desse tema.

Se faço aqui uma teologia selvagem, não há razão para evitar que eu também faça uma filosofia selvagem.

Entre os pensadores envolvidos na controvérsia da oposição entre sagrado e profano incluem-se os filósofos alemães Rudolf Otto (1869-1937) e Friedrich Schleiermacher (1768-1834), este o criador da disciplina conhecida como "hermenêutica"; Mircea Eliade (1907-1986), historiador romeno das religiões; e o sociólogo francês Émile Durkheim (1858-1917). Para definir um pouco melhor o que chamarei de sagrado (e, por oposição, o que apontarei como profano), recorro aos dois últimos autores – Eliade e Durkheim.

A consistência do termo "sagrado" se dá para nós, antes de tudo, porque no Terceiro Mandamento se fala em dia santificado, ou santo – e sagrado e santo são termos muito próximos.

Para Durkheim, "sagrado" é tudo o que, em uma sociedade, é percebido como impositivo, e esse sentimento é banhado pela terminologia de tradições religiosas historicamente constituídas. A "força do sagrado" vem justamente do sentimento da influência que o grupo social tem sobre o indivíduo, que é assimilado e incorporado por ele às suas redes de significado.

Eliade tem uma visão ainda mais complexa. Para ele, sagrado é "aquilo que é". Profano, por oposição, é "aquilo que não é" e, por isso mesmo, busca se aproximar do sagrado para "se apropriar" do Ser "por empréstimo ou analogia". O entendimento do historiador romeno se aproxima bastante da passagem do *Êxodo* em que Deus diz a Moisés, na versão grega do Velho Testamento, que Ele é aquele que é: "Sou o que sou".

Portanto, Deus "tem ser", ao passo que todo o resto tem o ser apenas por empréstimo.

Os estudos transversais e comparativos de Eliade em seu clássico *Tratado de história das religiões* (1949) mostram que os religiosos sempre buscam elementos sagrados (pessoas, locais, datas, relíquias, plantas, animais vivos ou sacrificados) porque creem que graças a eles conseguirão forças para enfrentar o sofrimento do dia a dia. Eliade usa a expressão *axis mundi* ("centro do mundo" ou "eixo do mundo") para se referir a lugares ou datas representadas em ações específicas no calendário religioso. O profano, nesse sentido, é o fraco, o que precisa de ajuda do sagrado. O tempo sagrado é feito de momentos em que os crentes pensam estar sob a ação dessas forças, e tais momentos, na maioria das vezes, implicam estar presente em determinados locais, realizar rituais, jejuns, orações que abrem as portas do sagrado à frágil vida profana.

Os momentos sagrados interrompem o fluxo do cotidiano. Essa interrupção abre espaço, no plano psicológico, para pensarmos sobre coisas que habitualmente não seriam objeto de nossa reflexão, por causa das ocupações do dia a dia. Retirar-se do trabalho diário para orar, refletir ou simplesmente não fazer nada cria as condições para um modo diferente de estar na vida. Tanto no período do Yom Kippur judaico – jejum de 24 horas – quanto no do Ramadã islâmico – jejum diurno de 30 dias – a fisiologia do corpo e do cérebro, em razão das privações, produzirá alterações da consciência que são necessárias para experiências extáticas, as quais, segundo os praticantes, levam a "ver a vida com outros olhos".

Situações como essas, dispersas pelo calendário, instauram momentos em que significados diferentes para a vida surgem na consciência dos indivíduos, alimentando-os espiritualmente. É justamente a possibilidade de viver tais situações que leva Jung a supor que haveria nelas alguma demanda psíquica necessária para o equilíbrio psicológico.

Atualmente, muitas pessoas buscam obter nos feriados ou finais de semana instantes de lazer que as ajudem a "ver a vida com outros olhos". Porém, com o avançar da vida pós-moderna e suas exigências cada vez maiores de sucesso (no trabalho, no afeto, no sexo, na saúde e na política), mesmo esses momentos de lazer são paulatinamente ocupados pela atividade do trabalho ou se transformam em intervalos de satisfação ligados às obrigações comuns, como a distração com as crianças, as viagens turísticas, os jantares inteligentes, ou seja, ações que dificilmente distanciam de fato as pessoas do cotidiano.

SANTIFICAR UM DIA

Conforme o Terceiro Mandamento, respeitar o sábado ou o domingo e os dias de festa é uma atitude que nos coloca mais perto de Deus.

Santificar um dia é separá-lo dos demais. A própria palavra "santificar" carrega, muitas vezes, mesmo no grego, latim e hebraico, esse sentido de separação do resto, o que, na prática, explica a vida "separada" do mundo que muitos sacerdotes e monges levam. Santificar o dia em que Deus descansou após a Criação é entender a necessidade de "pararmos a semana" para pensar Nele e na história maior da existência humana, a fim de nos mantermos humanos.

É importante lembrar que no hebraico bíblico a palavra "morte" se traduz como *maveth*, plural de *ma*, pronome usado para perguntar sobre os objetos inanimados – em português, "o quê?". Logo, romper com Deus – e deparar com a possibilidade da morte –, risco que assumem Adão e Eva, implica virar uma coisa, um "o quê", um objeto inanimado, algo sem vida. Com isso, percebemos que não basta ao homem ser pragmático e pensar apenas objetivamente: ele também precisa pensar sobre o "porquê" de viver ou de agir de uma forma ou de outra. A dimensão mítica da vida faz parte de nossa humanização. Entretanto, como sempre em questões religiosas ou espirituais, sua validade está intimamente associada, ao contrário do que se pensa, a fatos concretos.

A SOLIDÃO INDESEJADA

No início do episódio da série O *Decálogo* dedicado ao Terceiro Mandamento, a personagem principal, a solitária Eva, visita sua tia em uma casa para idosos, na noite de Natal. Essa casa por si só já caracteriza um lugar fora do cotidiano das pessoas ativas, um lugar onde o passado é depositado – atitude típica da modernização avançada que abandona seus idosos em asilos. A tia, porém, não reconhece Eva porque sofre de alguma forma avançada de demência. Sem memória, nada existe para ela, nem mesmo a sobrinha.

Com o desenrolar da trama, percebemos que Eva, pretendendo atormentar seu ex-amante (um homem casado e com filhos), faz com que ele passe a noite de Natal ao seu lado. Quando ele retorna a casa, sua mulher, de modo delicado, pergunta se ele pretende retomar o caso com Eva. O homem responde que não. Graças ao cuidado da esposa, que zela pela manutenção da família, a tentativa de Eva fracassa.

Independentemente das interpretações feministas e chatas de que a esposa seja uma idiota, o importante é perceber que tanto o marido quanto sua amante, Eva, estão a um triz de perder a vida concreta. Essa vida concreta é representada por Kieslowski pelos vínculos construídos ao longo de muitos anos de relações "microscópicas". Para essas relações, as datas em que a família se reúne para celebrações (como as religiosas, comumente) são momentos importantes, pois permitem que as pessoas olhem para si mesmas e a sua volta, entendendo, por fim, o que é mais importante na vida.

A ideia da perenidade dos valores, "guardada" no cuidado com o qual respeitamos essas datas, pode ser essencial para não acabarmos sós e sem vínculos. Em vidas que se privam desses momentos de celebração, a solidão indesejada, essa epidemia contemporânea, encontra um terreno muito propício para se multiplicar ao infinito.

O Quarto Mandamento

Honrarás pai e mãe.

Na Bíblia hebraica:

Honrarás a teu pai e a tua mãe, para que se prolonguem os teus dias sobre a terra que o Eterno, teu Deus, te dá.

A ANCESTRALIDADE COMO FUNDAMENTO

Podemos dizer que os mandamentos fundamentais ou "de base" encerram-se com esse quarto preceito. Os seis seguintes versam sobre comportamentos específicos. Com isso quero dizer não que os quatro iniciais não sejam também prescritivos, mas sim que eles estabelecem parâmetros centrais para a vida e a organização moral, quais sejam:

> *Primeiro Mandamento*: adorar apenas o Deus verdadeiro e com isso escapar da pior ilusão da vida, que é a idolatria, um dos temas centrais da Bíblia hebraica;
>
> *Segundo Mandamento*: saber como se relacionar com Deus e fugir de uma vida vã;
>
> *Terceiro Mandamento*: guardar os dias sagrados a fim de constituir uma vida de vínculos mais sólidos e significativos;

Quarto Mandamento: buscar junto aos ancestrais os fundamentos para a existência, honrando o modo de vida deles.

Por isso, quando se trata do Quarto Mandamento, é importante refletir a respeito da própria ideia de fundamento dos valores e virtudes, o que em filosofia se chama axiologia moral, ou grade de normas básicas para a vida humana.

Os valores, aquilo que consideramos certo ou errado, têm algum fundamento ou justificativa universal, irredutível, ou são meras convenções que podem ser modificadas conforme as culturas e as modas de cada época? Essa pergunta atormentou diferentes pensadores, como Platão, Aristóteles, Santo Agostinho, Montaigne, Descartes, Pascal, Hume, Kant... A lista é gigantesca. Para horror de muitos, contudo, não há fundamento evidente para valor algum. Por isso, a ancestralidade dos hábitos sempre foi uma chave essencial para constituir o modo como as pessoas têm vivido até hoje.

O mundo clássico grego, explica Leo Strauss, antes de tomar algo como verdade, sempre buscava entender a razão de um pensamento ou de uma escolha. O mundo hebraico antigo, ainda conforme Strauss, tendia a primeiro aceitar algo como verdade, só depois buscava compreender, e sempre o fazia dentro do escopo da Bíblia, o Livro Sagrado. Em outras palavras: para os hebreus, o fundamento dos valores, das crenças e das verdades se assentava na tradição. Para quem pensa e age assim, há sempre certo "desinteresse" ou "dúvida" com relação a explicações racionalistas. Aqueles que creem em uma tradição tremem menos diante do ceticismo.

A modernidade, ao devastar a crença no saber ancestral, agravou esse problema: como crer que algo seja verdade, inclusive no campo moral ou do comportamento? Kant perdeu o sono por causa dessa questão. Alguns perdem até hoje.

FUNDAMENTO DE UM IMPERATIVO MORAL

É conhecido o esforço enorme que Immanuel Kant (1724-1804) fez para conceber o que ele chamava de "imperativo categórico". Em filosofia, quando se diz que uma coisa é "categórica", isso significa que ela deve ser universal.

O problema de Kant, como aprende todo estudante de filosofia, é o ceticismo arrasador do escocês David Hume (1711-1776), para o qual todo conhecimento não passa de hábito. Muitos céticos têm um prazer especial em atormentar pessoas que "precisam crer" em algo, que buscam um sentido maior para a vida e acreditam que o bem vence ao final e que existe um fundamento para a verdade absoluta.

O ceticismo não é apenas uma atitude de dúvida em relação aos fundamentos das crenças, mas também um caminho que leva facilmente ao niilismo. É interessante notar que entre os céticos da filosofia antiga, e mesmo no caso de Michel de Montaigne (1533-1592), o ceticismo sempre está acompanhado da valorização da tradição e dos hábitos, justamente porque, aos olhos desses pensadores, não se pode confiar nos castelos no ar que a razão constrói. Na modernidade, o cético com fé na ciência (o que é um contrassenso em termos) passou a dizer para si mesmo: "Duvido do que está constituído e crio algo que, isso sim, estará fora de dúvidas". É a crença na ciência como conhecimento superior e absoluto, coisa que, para um cético verdadeiro como Hume, não passa de pura piada.

A ciência é demasiadamente dogmática em sua crença em si mesma para poder convencer um cético, além de ser incapaz de dar um sentido maior à vida – pode, inclusive, torná-la ainda mais vazia, na medida em que nos vicia em longevidade e solidão, como vimos no capítulo do Terceiro Mandamento.

Kant, diante do risco trazido à tona por Hume, se desespera para encontrar uma resposta. Ele lia o ceticismo de Hume em moral como um indício da ruína das crenças estabelecidas na Europa, às portas da modernidade. Essa ruína trazia à tona, para homens de visão larga como ele, a crise de fundamentação de quase toda, se não toda, estrutura moral europeia e, por tabela, humana. Se tudo não passa de mero hábito de crença, como dizia Hume, então estamos entregues aos "fazedores de hábitos" ou "destruidores de hábitos". Evidentemente que se repetia, ainda que de outra maneira, a tentativa de responder ao desafio sofista de Protágoras, que dizia ser o homem a medida de tudo e não existir algo que não fosse construção humana. Os sofistas e Hume colocam em circulação, em termos técnicos, a ruína da axiologia moral.

Assim, Kant decidiu fundamentar a moral racionalmente, já que não era mais possível fazê-lo a partir da religião e da tradição. Definiu, então, um "imperativo categórico": o homem deve agir de modo tal que seu ato possa ser erguido em norma universal de comportamento. Outra forma de entender essa ideia seria dizer que uma norma só deve vigorar se ela for válida para todos. Como alguém que temia o efeito corrosivo do ceticismo humano, Kant tinha razão em se preocupar com a modernidade e sua tendência relativista – e desde sua época até hoje as coisas pioraram muito. Todavia, para o sábio bíblico não há razão para temer o ceticismo verdadeiro e se agarrar a formas racionais de moral, como veremos.

Nem todo mundo se desespera com o ceticismo. Aliás, temperamentos tendentes à melancolia costumam sobreviver melhor à devastação do sentido e dos fundamentos das coisas, justamente porque vivem tal destruição em si próprios, desde sempre. A melancolia, como se sabe desde a Grécia, é uma doença que torna suas vítimas miseravelmente mais resistentes à doença do niilismo porque elas, de certa forma, carregam o germe da devastação na própria alma.

Minha hipótese é que o sábio bíblico não era um ingênuo que acreditava no universalismo da moral. Ele nem podia se fiar nisso, pelo que sabemos da época e da região em que vivia – a filosofia não nasceu entre os semitas. É claro que podemos evocar Voltaire e dizer que os hebreus não passavam de um bando de ignorantes. Mas não acho que fossem, e para prová-lo basta lembrar a qualidade da literatura que produziram. Eles apenas pensavam diferente dos filósofos gregos – e talvez perdessem menos o sono do que eles.

Ao contrário de Voltaire, penso que as sociedades "primitivas" tendem a ter mais consciência da fragilidade das normas do que as sociedades "sofisticadas", que creem em suas próprias teorias racionais, suas avenidas e sua rede de esgoto, parodiando o escritor Joseph Conrad em *O coração das trevas* (1899). A fragilidade do mundo pode formar um temperamento que teme pouco o niilismo e a ruína dos valores porque sabe que tem que colocar sua própria força de vontade na sustentação da vida. Isso é o que se chama de um espírito forte, inclusive no sentido nietzschiano.

Para o sábio bíblico, honrar pai e mãe é um modo possível de sustentar as gerações futuras do ponto de vista moral e psíquico. Ele estava enunciando um "contrato social" muito parecido com o que seria formulado por Edmund Burke no século XVIII – que reuniria os vivos, os mortos e as gerações futuras. Acredito que esse sábio, em termos filosóficos, está muito mais perto do cético Hume do que do "crente" Kant, já que sabe que o fundamento da moral é muito mais o hábito ("honrar pai e mãe") do que um racionalismo que crê nas novidades da razão moderna.

Honrar pai e mãe é uma tentativa desesperada de sustentar o mundo ao longo do tempo. Mas a pergunta cética ou mesmo niilista é: afinal, por quê? Quem disse que todo pai e toda mãe merecem respeito? Isso não seria uma forma de superstição passível de uma crítica voltairiana?

VOLTAIRE CONTRA PAIS E MÃES

Poucos têm consciência do alcance da crítica de Voltaire à superstição, principalmente quando acham que ela só funciona quando usada contra a batina e o clero. Ilusão comum de quem conhece pouca coisa de filosofia e do explosivo encontro entre ceticismo e moral. Quando se critica um princípio em filosofia, como dizia Blaise Pascal (1623-1662), nós o "aniquilamos", porque não encontramos como seu fundamento nada mais do que simples elementos contingentes.

Foi assim que se passou: esses elementos se cristalizaram ao longo do tempo e formaram aquilo que mais tarde passamos a considerar fundamentos, supondo que se alicercem em algo superior aos próprios elementos contingentes. Por exemplo, como diria Pascal, o rei é rei apenas porque decidiram um dia que o primogênito da rainha seria assim chamado, e não porque a figura real contenha algum sentido superior. A realeza se origina em um fato banal e contingente.

Nenhuma escola filosófica foi mais dura com as crenças do passado do que o Iluminismo francês, que chegou a chamar a história que o precedera de "era das trevas". Qualquer especialista em filosofia sabe que, uma vez iniciada a crítica aos fundamentos das crenças, chegaremos à ruína de cada uma delas, com a descoberta de que todas não passam de convenções historicamente determinadas. Facilmente se perceberá que não haveria por que honrar pai e mãe acima de tudo. A crítica voltairiana nos levaria facilmente ao niilismo.

Na Revolução Francesa, os jacobinos, ao relacionarem o rei à figura do pai e, portanto, a alguém autoritário, injusto e que deveria ser extirpado, começaram a crítica àquilo que hoje chamaríamos "patriarcalismo". Essa crítica se alastrou por todas as ciências humanas. Quando jovens concluem que os pais não merecem respeito *a priori*, o impacto cultural dessa decisão se reflete na dificuldade de se estabelecer estruturas familiares que permitam a humanização e a civilização. Se todos os pais fossem anjos, tudo seria mais fácil, mas não existem anjos no mundo.

Na cultura do narcisismo, tão claramente descrita pelo historiador americano Christopher Lasch (1932-1994), é difícil para adultos autocentrados assumirem a responsabilidade pela educação e formação dos mais jovens. Há pais que desejam aparentar mais juventude que os próprios filhos. O Estado, com sua vocação para medicalizar as relações familiares, piora a situação. O relativismo contamina as relações familiares, já desgastadas pelo discurso feminista e pela insegurança generalizada entre os homens, que passam a reclamar o "direito à covardia" como forma de emancipação.

HONRAR PAI E MÃE DESDE A PRÉ-HISTÓRIA

Ao pedir que sejam honrados pai e mãe, o Quarto Mandamento ressalta o respeito que devemos ter por aqueles que conseguiram, ainda que de modo imperfeito, como tudo mais, garantir que recebêssemos o mundo em que vivemos. Não temos tanta certeza de que conseguiremos fazer o mesmo por nossos herdeiros.

É sempre difícil "bancar" algum valor diante de crianças ou jovens que nada sabem sobre o mundo, tanto mais em uma época em que eles são constantemente incentivados a achar que sabem tudo. Qualquer pessoa que percebe essa dificuldade também é capaz de reconhecer como tiveram de ser fortes aqueles homens e mulheres do passado, que muitas vezes viveram situações piores do que nós, cercados de ameaças, predadores e forças desorganizadoras, para levar adiante a sua existência e a de sua família, labutando a terra, lutando por comida e defendendo seus filhos da insegurança e da morte.

O Quarto Mandamento presta homenagem, antes de tudo, a todos aqueles que morreram para que pudéssemos estar vivos hoje. Hebreus crentes e darwinistas descrentes (como eu) reúnem-se nesse mandamento para louvar a coragem de nossos ancestrais. A responsabilidade pelo mundo tem na lida com os filhos uma das suas faces mais concretas, cotidianas e perenes.

SE TUDO É PERMITIDO, POR QUE NÃO O INCESTO?

O quarto episódio da série O *Decálogo* indaga, de forma violentamente dramática, sobre o respeito que devemos ao pai (biológico ou apenas psicológico), colocando o dedo na ferida da proibição ao incesto. Kieslowski demonstra mais uma vez sua maestria ao tocar de modo cirúrgico nas consequências culturais do relativismo festivo de nossos dias.

No filme, uma jovem de cerca de vinte anos encontra uma carta que parece pôr em dúvida que o homem que ela sempre chamou de pai seja de fato aquele que a gerou (a moça tem medo de ler até o final a carta, escondida por sua mãe, já morta). A jovem começa, então, a questionar a paternidade. O episódio apresenta de modo sutil o erotismo *borderline* que pode existir entre uma moça atraente e seu pai ainda jovem. Entretanto, o viúvo sustentará a posição paterna e resistirá aos ataques sensuais da filha. Em uma manhã, por fim, ela acorda desesperada, como de um pesadelo, procura o pai e tranquiliza-se ao vê-lo indo comprar leite. Seu "surto" acaba, e ela volta à posição de filha, deixando de lado os fantasmas da carta da mãe.

O tema da excessiva erotização das meninas aqui se associa a uma dura indagação: se o homem que criou a jovem não é seu pai biológico, ele poderá ceder às provocações sexuais da filha? E pior ainda: haveria algum problema se o pai biológico e sua filha se entregassem ao desejo mútuo, desde que evitassem a gravidez? Talvez um dia cheguemos a encontrar nobres professores de ciências sociais que dirão que a proibição do incesto é fruto das "relações de poder" e que pessoas livres e autônomas podem, sim, se relacionar sexualmente, mesmo se forem pai e filha, ou mãe e filho.

Normalmente, as pessoas se horrorizam com questões como essas, mas a verdade é que gostam de brincar com os relativismos da moda, colocados pelo mundo contemporâneo nas prateleiras dos filmes, músicas, revistas e livros. Muitas vezes até mesmo as psicoterapias "pós-modernas" gostam de dizer que "é proibido proibir". A verdade última é que as pessoas, como o pai nesse episódio de *O Decálogo*, precisam resistir a muita coisa em nome daqueles de que querem cuidar. Do contrário, nada garantirá o nascimento de netos. Embora não enfrentemos predadores, como nossos antepassados faziam, continuamos a ter de lutar com nossos demônios internos, que se materializam na cultura e permanecem à espreita, além de termos de encarar o desafio de precisarmos fundamentar decisões morais em um mundo de valores voláteis e instáveis – o que é um ato de coragem.

Vale lembrar que incestos ocorrem mesmo na Bíblia, como o das filhas de Lot, que embebedam o pai após a morte da mãe, na destruição de Sodoma e Gomorra, a fim de gerar mais filhos com a semente dele. Vemos assim como o texto sagrado israelita parece temer menos os limites da moral do que os puritanos contemporâneos.

O Quinto Mandamento

Não matarás.

Na Bíblia hebraica:

Não matarás.

POR QUE DEUS PODE MATAR

Conforme o que lemos na Bíblia, a proibição de matar vigora apenas para nós, humanos, pois Deus mata, e aos montes.

Analisando o contexto histórico do Livro Sagrado, naturalmente poder-se-ia dizer que o Quinto Mandamento resulta do interesse de uma elite política – a mesma que escreveu os textos bíblicos – em preservar para si o direito de matar. Toda teologia é política, eu acrescentaria, evocando Espinosa (*Tratado teológico-político*, 1670) e Ludwig Feuerbach (1804-1872; *A essência do cristianismo*, 1841). E não estaria inteiramente errado. Entretanto, é muito fácil extrair uma reflexão desse tipo das narrativas bíblicas. A análise contextual tornou-se um vício para quem não quer se arriscar a refletir com voz própria. Outro caminho fácil, mas, nesse caso, menos verdadeiro em termos filosóficos ou da teoria do Estado, seria dizer que o Quinto Mandamento estabelece as bases (ainda religiosas, devido ao tempo histórico em que ele foi escrito) do monopólio da violência pelo Estado, o Leviatã.

Prefiro o caminho mais difícil: refletir por que Deus proíbe, no Quinto Mandamento, que nós matemos, enquanto Ele próprio pode matar e manda matar inúmeras vezes na Bíblia. Ele chega a matar, inclusive, o próprio filho (ou Sua versão encarnada) no Novo Testamento. A Ressurreição posterior não alivia a experiência de medo, dor e morte do Cristo, pois, do contrário, a Paixão seria apenas uma sequência de cinema com efeitos especiais.

A razão teológica dessa proibição ("não matarás") é o fato de que só Deus é o dono da vida (e de tudo o mais). Logo, apenas Ele pode tirar a vida. Isso nos leva a conflitos muito contemporâneos, surgidos com os avanços da medicina, como no caso dos esforços de prolongamento da vida (enquanto escrevo este livro os franceses colocam pela segunda vez um coração artificial em um homem). Sociedades avançadas em termos tanto tecnológicos como de direitos individuais discutem até mesmo o direito ao suicídio.

Tanto o aborto quanto o suicídio estão sob a tutela do Quinto Mandamento. Portanto, a primeira questão que ele coloca é que temos uma posse limitada sobre nossa própria vida.

O direito de matar de Deus é uma das demonstrações mais radicais daquilo que, em teologia, chamamos de diferença ontológica entre Deus e Sua Criação. Isso quer dizer que os mandamentos são apenas para nós, porque Deus está acima da moral. Esse fato, muitas vezes, levanta dramas éticos em teologia acerca da "natureza moral de Deus". Muita gente boa já se perguntou se Deus teria limites "naturais" à sua ação. Por exemplo: seria ele capaz de fazer o "mal", uma vez que ele é Amor (e assim pensa, ainda mais especificamente, o cristianismo)?

O personagem Deus de Israel, na Bíblia hebraica, nunca diz que é Amor, e, portanto, na minha teologia selvagem, prefiro assumir essa versão, que me parece mais consistente com o comportamento Dele. E, sem entrar no complicado mérito do que seria o "mal", eu citaria apenas como exemplo a decisão de deixar que se afogassem no Mar Vermelho centenas de soldados egípcios com esposas e filhos, como na passagem famosa do *Êxodo*.

Como vimos anteriormente, a teologia do Velho Testamento não é retributiva. Por isso, não há simetria entre Deus e o homem. Deus cria e também mata – e não há limites para Sua ação.

Na versão grega (Septuaginta) da Bíblia hebraica, no livro do *Êxodo*, Deus diz: "Sou o que sou". Na versão hebraica, Deus diz outra coisa, já que nessa língua não existe a forma gramatical do verbo "ser" no presente, em nenhum pronome. Nessa versão, Deus diz: "Serei O que serei". Ele utiliza, pois, o futuro. Para os rabinos, isso ocorre porque Deus é livre e se situa além de qualquer atributo ontológico ou de qualquer parâmetro de ação moral. Ele multiplica o futuro pelo futuro, radicalizando assim a Sua liberdade. O Bem é Bem apenas porque Deus quer que seja Bem – e não porque relaciona o Bem com aquilo que é bom. Logo, Ele é livre até mesmo de toda "natureza" (atributo) que o defina.

Essa liberdade de Deus é assustadora para nós. Mas é justamente ela, essa liberdade absoluta associada ao poder absoluto, que torna Sua misericórdia absolutamente livre de qualquer condicionamento retributivo. Maus teólogos costumam não entender que trabalhar teologicamente com a lógica da retribuição é circunscrever Deus à relação idólatra, ou seja, "em comércio" com os atos humanos. Deus, como dizia Santo Agostinho, "não leva em conta nossos méritos". Por isso, sua ação é sempre "de graça".

Deus pode matar, mas nós não podemos, a menos que estejamos agindo "sob Suas ordens", porque Ele é o único ser absolutamente livre, incausado e incondicionado. Ele é o Eterno.

COMO NÃO MATAR QUANDO É JUSTO MATAR?

Nas democracias liberais, questões relacionadas com escolhas sobre a morte não costumam ser óbvias. Há pessoas que são a favor do aborto, embora sejam vegetarianas e chorem por causa de ursos pandas. Há também pessoas que defendem ferozmente a pena de morte, mas se opõem ao aborto, mesmo em situações terríveis, como quando uma mulher corre risco de vida ou foi vítima de violência sexual. Há, ainda, pessoas a favor do aborto que têm pena de assassinos cruéis condenados à morte. A humanidade tem mesmo essa faceta ridícula.

O Quinto Mandamento nos leva a perguntar se matar é sempre errado.

Do ponto de vista das leis humanas, não. Tanto assim que, muitas vezes, as leis preveem atenuantes para os crimes de morte. O mandamento, porém, é um imperativo normativo. Deus é absoluto em tudo, e assim Ele deseja: "Não matarás". É conhecida a ideia de que a Bíblia é um livro moral. Mesmo que matar seja tomado como uma atitude justa em dado momento, o "não matarás" implica que não devemos matar nunca, em hipótese nenhuma. Vemos, assim, mais uma vez, que a Bíblia é incompatível com uma atitude de retribuição, que, por sua vez, é o fundamento da justiça humana.

Na Bíblia hebraica, a lei de talião justifica o "olho por olho, dente por dente" – ideia com a qual o Novo Testamento entra aparentemente em conflito, quando Jesus afirma que "devemos dar a outra face" àquele que nos agride. Mas não acho certo querer entender esse conjunto de livros como um monólito. Suas aparentes inconsistências são o que os torna um pouco imunes às tentativas fundamentalistas de interpretação. Os conflitos de Deus com Ele próprio são parte das maravilhas contidas nesse livro, que é, na realidade, uma reunião de obras de vários autores, escritas em épocas distintas. A sabedoria bíblica, de certa forma, é fruto dessa inconsistência atávica.

Eu disse que havia "aparentemente" um conflito relacionado à lei de talião. Por quê? Porque, embora exista tal lei, também existe a chance de se defender o perdão.

No Velho Testamento, Deus pratica Sua misericórdia com a humanidade inteira, que, entretanto, O traiu, como ocorreu com Adão e Eva; ou com Caim, que matou seu irmão Abel; ou com Nimrod, que construiu Babel; ou com os hebreus, que fizeram o bezerro de ouro logo após a libertação da escravidão do Egito; ou mesmo com Jesus, que foi traído e abandonado por seus apóstolos. Fosse Deus apenas justo, conforme a lei de talião, não haveria humanidade: Ele teria feito cumprir o "olho por olho, dente por dente".

Não podemos esquecer, porém, que o perdão e a misericórdia devem ser raros, do contrário eles se tornam banais e justificam qualquer coisa. Ambos só existem quando comparados ao poder absoluto de julgamento de Deus. Ou quando, no plano humano, a lei de talião encontra seu justo lugar como justiça que pune de modo simétrico aquele que comete um crime, e ainda assim alguém perdoa o criminoso.

Por isso, acho excepcionalmente interessante a ideia de que o Quinto Mandamento permaneça absoluto, ou seja, Deus decide se perdoa ou não. Se você matar alguém e, sabendo que é "culpado", encarar Deus face a face, como o rei Davi, descobrirá que Ele entende as sutilezas da condição humana. Sabe que somos imperfeitos, e o que Deus detesta é a covardia de não assumir o que fazemos.

HESED E *DIN*

Na famosa Árvore da Cabala, as *sefirot* descrevem os atributos ou qualidades da divindade. Entre eles, há dois que são simétricos: *Hesed* (piedade) e *Din* (justo julgamento).

É importante que a piedade (ou misericórdia) esteja ao lado do julgamento absoluto e justo de Deus. De certa forma, os sábios da Cabala entendiam que, se Deus não for "justamente impiedoso" em seu julgamento, não há por que se falar de piedade. Só há piedade e perdão quando não há justiça, porque ambos estão "acima" dela. A justiça, para ser equitativa, segue sempre a lei de talião de alguma forma, na medida em que pune quem merece e com a força que o crime pede. Do contrário, a justiça não seria equitativa.

O perdão nunca é equitativo, porque quem o recebe não o merece. Essa sutileza escapa à alma contemporânea, afogada em narcisismo.

A assimetria entre o crime que cometo e o perdão que recebo é que faz o perdão maior do que um ato de justiça, e por essa razão pode transformar o criminoso. Só quando a pessoa se sabe culpada ela é capaz de se sentir perdoada. É nesse cenário que a experiência interna da redenção se dá. O homem também é chamado a perdoar, como Deus, por isso Cristo fala em "dar a outra face". A fina psicologia moral da tradição semita hebraica exige a consciência da culpa e do não merecimento para revelar sua força moral plena. E isso é absolutamente estranho a uma cultura autoindulgente como a nossa.

A POSSIBILIDADE DO PERDÃO

Essa tensão moral entre matar, julgar, condenar e perdoar aparece de modo muito claro no quinto episódio da série *O Decálogo*, sobre um jovem que é condenado à morte por homicídio. Apesar de a trama nos dar atenuantes psicológicos para seu comportamento, o que de certa forma o humaniza, o núcleo dramático está em outro lugar.

O centro da discussão do episódio se encontra no fato de o advogado, em crise com a pena de morte, ver como "intolerável", como ele afirma, o contrato social que rege a relação entre crime e justiça. Kieslowski parece dizer que mesmo ao Estado deve ser interditado matar, o que é uma clara condenação da lei de talião aplicada pela Justiça. Para o diretor, ela seria insuficiente para a redenção do assassino, que, caso seja morto, deixará de vivenciar a culpa "para sempre".

Para o advogado, a forma como um criminoso é julgado e condenado à morte retira da sociedade e de seus membros a possibilidade de eles reconhecerem a misericórdia da qual seriam capazes. Além de retirar do criminoso, o que é óbvio, a possibilidade de tomar consciência do mal que fez. A impossibilidade do perdão torna o mundo cruel em vários sentidos, e por isso o episódio se passa em uma cidade feia, suja e cheia de pessoas autocentradas. A "simples" justiça não basta para lidarmos com o Mal.

Um conjunto de leis define como nos relacionamos com o crime ou o erro moral (o Mal). Quando excluímos o perdão desse "contrato social", porém, fechamos a porta para a redenção. E é a redenção, enfim, que consegue enfrentar o Mal. Por isso, na tradição hebraica, a misericórdia está ao lado do julgamento, pois ela é a resposta à degeneração do mundo e das pessoas. O Bem não é o "oposto" do Mal. O Bem está acima do Mal.

O Sexto Mandamento

Não cometerás adultério.

Na Bíblia hebraica:

Não adulterarás.

ESTRAGAR A VIDA

Quando falamos em adultério, pensamos logo em sexo fora do casamento. Assim, parecem repetitivos este Sexto mandamento e o Nono, que diz: "Não desejarás a mulher do próximo". O Nono, porém, fala explicitamente sobre o "desejo" pela mulher do outro, ou seja, o desejo fora do lugar, ao passo que este Sexto Mandamento tem um sentido mais amplo, pois fala que não devemos adulterar de forma mais essencial e geral. O seu cuidado é com a pureza da vida e não necessariamente com o desejo (sexual ou amoroso) deslocado do lugar definido pelas instituições.

Estragar a vida é um hábito contínuo e fácil. A fera que habita em nós não dá importância ao cuidado, o qual muitas vezes entra em conflito com o desejo imediato. Em relação aos animais, falar de "instinto materno" é algo quase tão infantil quanto acreditar em Papai Noel, pois muitas fêmeas destroem sua cria. Entre humanos ocorre a mesma coisa: muitas mães e pais são negligentes no cuidado de seus filhos.

Portanto, o cuidado que devemos ter para não estragar a vida faz parte da ordem da cultura, e não da ordem da natureza, como pensam alguns ingênuos. Também se pode interpretar o Sexto Mandamento como um pedido de cuidado para com o amor e o vínculo, e aí adentramos o terreno daquilo que em teologia se chama castidade ou pureza. Viver sem adulterar a vida é viver em castidade. Mas como viver uma vida pura?

CASTIDADE OU PUREZA

A ideia de pureza é central na tradição semítica antiga. Viver conforme a Deus é buscar a santidade ou a pureza, é ter retidão de coração e sinceridade nos atos.

Pureza não é sinônimo de estar livre de pecado, apenas. É, isto sim, uma atitude em relação ao pecado, mesmo que ele tenha sido cometido. De certa forma, tem pouco a ver com a ideia de pessoa "santinha". O santo verdadeiro é um especialista no Mal. E a santidade não é coisa para santinhos: ela é a condição necessária para a redenção, pois fala à consciência daquele que pecou. Um coração reto é aquele que não nega tudo que carrega dentro de si. A pergunta do homem reto ou da mulher reta é: como me comportar diante Daquele que tudo sabe e tudo pode?

Por isso o Sexto Mandamento talvez seja um dos mais difíceis de serem compreendidos, uma vez que no mundo contemporâneo a consciência moral da culpa ou da responsabilidade está fora de moda. Uma cultura pautada pela negação da responsabilidade moral, que nos considera sempre "vítimas" de algo ou de alguém, inviabiliza qualquer forma possível de pureza ou castidade.

Deus exige de nós castidade porque também quer que sejamos humildes e corajosos o suficiente para não mentir a Ele. O leitor pode perguntar: mas como seria possível mentir para quem sabe de tudo? Quando o Deus bíblico cobra castidade, Ele não está preocupado com a imitação da sinceridade. A castidade, ou pureza de coração, diz respeito à ordem interna da pessoa, como se diria hoje, ou à sua alma. Pecamos contra a castidade (adulteramos a vida) quando mentimos para nós mesmos, já que mentir para Deus é impossível.

Eis por que, no catolicismo, o lugar da busca da castidade é o sacramento da confissão, quando a pessoa fala abertamente sobre o que fez, sem querer mentir (do contrário não haveria confissão propriamente dita). O arrependimento é parte essencial da castidade, já que nunca somos plenamente puros. Por isso, o tom da confissão, estabelecido por Santo Agostinho no século IV, é o da inspeção interior, ou seja, de uma conversa consigo mesmo, na qual o medo nunca é causado por aquilo que está fora de si, mas provocado pela escuridão interna de cada um.

BEHAVIORISMO RELIGIOSO

A retidão do coração dificilmente sobrevive em meio a multidões. Em seu fabuloso discurso aos formandos de 1984 no Williams College (EUA), o poeta russo Joseph Brodsky (1940-1996) diz que quando falamos do Bem sempre devemos cuidar para não fazer isso no meio de muita gente. A razão é simples, segundo o poeta: os maus sentimentos, a mentira e a falsidade são mais frequentes nas pessoas. Do Bem deve-se falar para poucos, pois, segundo Brodsky, quando se multiplica o número de pessoas, é grande a possibilidade de os maus sentimentos se multiplicarem na mesma proporção. Daí o silêncio e o cuidado que o Bem pede.

O filósofo judeu A. J. Heschel, por sua vez, chamou de "behaviorismo religioso" a preocupação com uma abordagem "externa" da vida moral. A busca verdadeira da pureza ou castidade, que é o contrário do behaviorismo religioso, se dá dentro do coração, como em um "santuário", como ele dizia. O enfrentamento com o pecado, com o ato impuro e com a mentira se dá no silêncio de um coração que se desnuda e é capaz de olhar o coro de demônios que acompanha toda alma intensa.

O Deus de Israel admira as pessoas intensas. Seus heróis e heroínas são sempre tomados por *páthos*, da mesma forma que Ele. Por isso, é incorreto imaginar que a castidade ou a pureza sejam qualidades de pessoas sem "sangue nas veias". O universo da pureza hebraica está muito distante daquilo que supomos ser a pureza dos mitos iniciáticos antigos, e mesmo da filosofia grega e sua busca de ataraxia ou *apatheia* (tranquilidade da alma ou ausência de afetos que desequilibram a vida psíquica). A pureza semita é cozida na agonia de um homem ou de uma mulher que se sabem o tempo todo jogados diante de um Deus zeloso da verdade da alma de cada um. No hebraísmo, pureza é movimento, e não repouso.

Esse embate contínuo, segundo Auerbach no texto "Cicatriz de Ulisses", do livro *Mimesis* (1946), é que faz dos personagens bíblicos seres sujeitos a uma vida interior, ao contrário dos personagens da literatura grega, que são sempre "sociais", públicos, exteriores a si mesmos. Segundo o crítico, o herói israelita é arremessado contra todo tipo de sofrimento a fim de tomar consciência de quem ele é e da razão de Deus o ter escolhido como eleito. Abraão é um caso clássico desse tipo de pureza. Toda forma de agonia habita a alma de quem está atento à sua própria inconsistência e é verdadeiro ao percebê-la. A intensidade da alma dos personagens bíblicos provém de um cotidiano habitado pela demanda de pureza.

O teólogo suíço Hans Urs von Balthasar (1905-1988) refletiu sobre a alma visitada pela graça, sob a ação da graça, e chegou à conclusão de que ela sofre mais do que todos. A razão disso é que ela consegue ter uma visão clara daquilo que nela é graça e do que é impureza. Quanto mais alguém se sente distante de Deus, mais perto de fato está, porque essa distância é, na verdade, a autopercepção do que falta para atingir a pureza. Quanto mais alguém se sente perto de Deus, mais longe está, porque essa proximidade é signo de sua falsidade, ou seja, de seu pecado contra a castidade. A bondade dos bons sempre faz mal porque é, normalmente, fruto do descuido com sua própria maldade.

O PECADO DA POLÍTICA

Uma das marcas da vida moderna é a transposição da ideia de pureza contida na graça para a esfera da política. Para alguns, é a política que vai restaurar (salvar) o mundo, e não a vida com Deus e seu apreço por um coração puro porque sincero diante de si mesmo. Desde o século XVIII – o século de Rousseau, o filósofo da vaidade – nós sofremos de uma fé cega na capacidade redentora da política. A democracia, por si só, já padece dessa autopercepção de pureza ao pensar-se como o melhor regime político entre todos – em linguagem mais coloquial, a democracia "se acha o máximo".

A política, porém, é o lugar da mentira. Sendo o lugar da mentira, ela está muito longe de se constituir em uma força contra a ruína moral da vida e da alma pelo simples fato de que ela se dá em multidões. A crença na democracia quase sempre degenera em crença na multidão. O pecado da política no mundo contemporâneo é, portanto, sua desmedida em querer ser o que ela não é: o palco do enfrentamento do coro de demônios que acompanha toda alma que luta para realizar o Sexto Mandamento. A vida em multidões torna a alma cega para as sutilezas da mentira. Quem afirma que a política é o lugar da "santidade" é um mentiroso.

O CORAÇÃO RETO

O hebraísmo antigo buscava uma vida na qual o coração estivesse no lugar certo, ou seja, em que a pessoa fosse verdadeira em seus atos. O filósofo judeu austríaco Martin Buber (1878-1965), conhecido por seus estudos da mística judaica hassídica dos séculos XVIII e XIX, escreve, em sua obra *Hasidism and*

Modern Man [Hassidismo e o homem moderno], que são quatro as virtudes de quem tem o coração reto:

> *Viver em êxtase (hitlahavut).* Para um judeu, orar é incendiar a alma com a proximidade "física" de Deus no momento da oração. Esse é o êxtase. O próprio parentesco em hebraico de *hitlahavut*, "êxtase que queima", com a imagem de "tornar-se fogo" nos leva à ideia de que o coração reto é aquele que sente o calor da presença de Deus. Portanto, orar é uma virtude mística.
>
> *Trabalho diário (avodá).* A palavra hebraica significa tanto "trabalho" quanto "servir". O coração reto busca servir e criar coisas concretas na vida, mais do que ser servido pela vida.
>
> A *intenção reta da vontade (kavaná).* O coração reto sente a presença de Deus e Sua pureza, "obrigando-se" à sinceridade como uma doce e irresistível sedução pela verdade.
>
> *Humildade (schiflut).* O homem bíblico sabe que tudo começa com a humildade diante do Eterno. A condição de criatura dá a ele a leveza de quem se sabe fruto da vontade livre do dono do universo. O coração reto é humilde porque habita a intimidade de Deus, e Deus é belo e bom, sem precisar sê-lo.

Portanto, para o hebraísmo, o coração reto vive em êxtase, trabalha cotidianamente, diz a verdade e é humilde diante Daquele que soprou o ar do espírito em seu corpo.

Uma das formas mais comuns de descuido com a vida é o descuido com o amor. O sociólogo polonês Zygmunt Bauman (1925) afirma que os contemporâneos têm a expectativa de que o amor resolva a ambivalência insuportável da vida moderna, na qual o relativismo corrói todos os vínculos. Para os românticos, o amor era fruto da esperança de curar o mundo do racionalismo utilitarista que nos atormenta com sua promessa de eficácia total da vida. Hoje, ele se despedaça no cotidiano à medida que sucumbe aos excessos da modernidade e do individualismo.

Pecar contra a castidade do amor é o que faz uma belíssima artista plástica no sexto episódio da série *O Decálogo*. Mulher emancipada, dona de seu corpo, amante de homens casados, ela vive a ilusão de que a liberdade sexual dá significado à vida solitária. O episódio permite a Kieslowski refletir sobre o impacto do desejo dos poloneses de se tornar ocidentais e "contemporâneos" e, portanto, individualistas. No final dos anos 1980, quando o filme foi realizado, já se avizinhava a queda da União Soviética, império cujo regime mantinha a Polônia debaixo da bota de um modelo coletivista e contrário às liberdades individuais.

No episódio, a artista descobre que um jovem vizinho que vivia no seu encalço desejava apenas "tomar um sorvete com ela". A moça decide então dar uma lição a esse enamorado tão ingênuo (que, na verdade, é um *voyeur* que a persegue secretamente, até confessar o seu "crime"). Um dia, ela leva o rapaz a "gozar nas calças" e, em seguida, diz: "Isso é o amor, agora vá se limpar".

Desesperado com o cinismo da amada, o rapaz tenta o suicídio. Ela, então, percebe a besteira que fez ao jogar pela janela a chance de encontrar um possível parceiro amoroso que desejava apenas "estar com ela". A artista tenta reconstruir a situação, mas já é tarde demais. O estrago já havia sido feito.

Esse estrago é justamente o adultério contra a castidade do amor, fórmula comum nos comentários tanto judaicos quanto cristãos ao Sexto Mandamento. A artista considerou o jovem um idiota inexperiente, quando, na verdade, ela mesma era incapaz de reconhecer o amor em si, um afeto desinteressado que não almejava fazer uso do corpo dela como simples ferramenta de seu prazer sexual. O entendimento de adultério de Kieslowski aqui escapa à pobreza típica do senso comum em matéria teológica.

O Sétimo Mandamento

Não roubarás.

Na Bíblia hebraica:

Não furtarás.

A PROPRIEDADE

A primeira ideia que vem à mente quando lemos o Sétimo Mandamento é a de que ele trata da defesa da propriedade. Ele seria uma noção elementar de limites, se pensarmos que o Decálogo foi estabelecido na era do bronze. Enquanto o Décimo Mandamento alerta sobre o desejo de ter os "pertences" vivos do outro ("não cobiçarás as coisas alheias"), o Sétimo fala de forma mais geral contra o roubo.

Se em sociedades "sofisticadas" a prática do roubo é constante, em um mundo quase pré-histórico ele deveria ser um fato endêmico. Naquele tempo, a violência causada pelos contínuos roubos seguramente levava a um convívio instável entre as pessoas. A simples interdição do roubo de ferramentas básicas já nos dá a ideia mínima de um "contrato social".

Entretanto, só se pode falar em "roubo" se existir a noção prévia de "propriedade". Autores como Jean-Jacques Rousseau (1712-1778), além de outros utópicos menores, todos tão nocivos a uma compreensão mais funda da condição humana, pensam que a interdição ao roubo e a prévia noção de propriedade eram decorrência da corrupção da perfeita natureza humana. Para Rousseau, como o estado de natureza pressupõe a igualdade entre necessidade e desejo, ninguém desejaria o que não fosse necessário. E ninguém deixaria de ter algo, pois tudo seria compartilhado coletivamente pela humanidade como um todo.

A ideia é tão absurda que chega a ser comovente.

Para Rousseau, porém, ela nada tinha de estapafúrdia: caso as pessoas continuassem vivendo em pequenos grupos separados, em "comunidades", tal projeto seria perfeitamente viável (eis sua utopia política, que se transformou na violência socialista). Como elas começaram a se reunir em grupos maiores e se distanciaram pouco a pouco umas das outras, a epidemia de ganância, da propriedade e dos roubos teve início.

Os Dez Mandamentos, sendo uma obra muito mais antiga do que os delírios do andarilho solitário Rousseau, expõem uma visão muito mais consistente acerca da nossa condição: o roubo é um fato humano, demasiado humano, e nunca desaparecerá da Terra.

DEUS É O DONO DE TUDO

Na Criação, Deus chamou a atenção de Adão para o fato de o primeiro homem ser "apenas" um guardião, e não dono do mundo à sua volta. Isso quer dizer que, em um nível mais profundo, querer ser dono do Ser é já uma forma de roubo.

A Queda do Paraíso, gerada pelo pecado, é resultado da tendência do homem a querer ser dono de tudo.

O mandamento nos leva a compreender nossa condição de guardiães do mundo e que devemos nos limitar a viver dessa forma. Nesse sentido, apesar de Rousseau ter ido longe demais na sua releitura do mito da Queda (releitura que constitui, na realidade, sua teoria), a ideia de que se trata de um ensinamento importante o que manda resistir à posse sustenta-se do ponto de vista do sábio israelita. Colocar limites ao nosso desejo de posse (a começar, a de nossa vida e de nosso corpo) pode ser uma forma sábia de viver, pois nos ensina que nada nos pertence, mesmo aquilo que há de mais íntimo. Querer ser dono de tudo é seguramente uma forma de sofrimento moral insuportável porque a posse de tudo é sempre impossível, até mesmo porque somos mortais. Uma vez que tudo nos é dado de graça, segundo o sábio cristão lendo o Velho Testamento, desejar ser dono de tudo já é uma queda.

Em nosso mundo atual, no qual a virtude narcísica de querer ser o centro do mundo tornou-se moda, já é bastante revolucionária a ideia israelita de que somos apenas guardiães de nós mesmos e não donos de nós mesmos. Além disso, o culto contemporâneo à inveja como forma assertiva de desejo, comum até em reuniões corporativas motivacionais, deixaria o sábio israelita com a viva impressão de que estamos em situação pior do que a dos antigos.

ROUBAR "BENS IMATERIAIS"

O verbo "roubar" não deve ser entendido apenas como "apropriar-se de bem ou bens alheios", como define o dicionário. O sétimo episódio da série O *Decálogo* expõe a complexidade que "roubar" pode ter. O filme conta a história de uma moça que tem um caso com um professor da escola dirigida por sua mãe. Da relação nasce uma menina que é criada pela avó, que, por sua vez, faz a criança crer que ela é sua mãe. Um dia, a mãe verdadeira decide fugir e levar a filha.

Há vários níveis de entendimento para roubo, do ponto de vista imaterial, no episódio: a avó acusa seu marido de ter "roubado" a única filha deles, fazendo com que ela amasse apenas o pai. Ela também nega ao pai da neta o direito de assumir a paternidade. Chega a acusá-lo de pedofilia, por ele ser dez anos mais velho que sua filha.

Na vida familiar, questões como essas são mais comuns do que pensamos. Pais disputam o amor dos filhos, levando aqueles que se sentem "roubados" ao desespero. No episódio, a menina se transforma em um objeto de disputa infernal, o que revela como o comportamento das pessoas, mesmo quando elas agem "em nome do amor", as reduz a coisas, levando-as ao sofrimento.

A garota roubada se torna objeto nas mãos da avó e da mãe, cada uma querendo afirmar sua posse. A avó, ao roubar a filha de sua filha, instaura a desordem afetiva na família. Tivesse ela apenas ajudado a filha, mãe aos dezesseis anos, a cuidar de sua neta, nada disso teria acontecido. O problema do desejo de posse indevido aqui revela toda sua possível violência desestruturante da vida. Pais são guardiães dos filhos, e não seus donos.

O Oitavo Mandamento

Não levantarás falsos testemunhos.

Na Bíblia hebraica:

Não darás falso testemunho contra teu próximo.

A VERDADE COMO PONTO DE VISTA

Se não há a verdade, por que seria errado mentir? Vimos antes os riscos da falta de fundamento dos imperativos morais, o medo do niilismo implícito. O Oitavo Mandamento vai além do tema da mentira como tal porque se refere a mentir sobre alguém (dar um falso testemunho). Portanto, se não existisse diferença entre verdade e mentira, poderíamos dizer que levantar um falso testemunho depende do ponto de vista?

Na sociedade israelita antiga, o sábio, ao redigir esse Oitavo Mandamento, parece estar primeiramente preocupado com um marco social regulador que detenha o uso da mentira e do falso testemunho (um caso específico da mentira, apenas), pois ambos podem dissolver a vida social. E com essa dissolução destrói-se a confiança no mundo.

Em uma sociedade como a contemporânea, saturada de relativismo, haveria algum impedimento para mentirmos a respeito dos outros (o falso testemunho em si)? Acho que não.

O niilismo é sempre um controle de qualidade para qualquer um que queira pensar na filosofia moral. Normalmente, quando se defende o relativismo (a antiga ideia sofista de que, sendo o homem a medida de todas as coisas, tudo não passa de um ponto de vista, de certa forma), não se pensa o que seria uma sociedade em que a verdade fosse tomada como algo de fato inexistente. Dito de outra forma, como seria viver sem confiar em alguém? Por exemplo, se digo ao meu filho que vou buscá-lo na escola, tudo bem se eu mentir para ele e deixá-lo esperando lá a tarde toda? Ou, se ele soubesse que nada do que eu digo é verdade, que impacto isso teria sobre sua capacidade de confiar no mundo e nas pessoas?

O mundo não sobrevive à negação da verdade pura e simples. Nós sempre precisamos marcar uma diferença entre o que é real e o que é falso. Se o corpo respira ar, a alma respira confiança. O niilismo, na sua vocação natural à desconfiança, destrói qualquer possibilidade de vínculo. Do comércio ao amor entre um homem e uma mulher, da busca do perdão às razões do ódio, do esforço do conhecimento à superação deste em nome de uma ignorância douta, tudo se relaciona à possibilidade de confiar no mundo e nas pessoas. Os vínculos são feitos da carne da confiança. Infeliz aquele que nunca confiou em alguém.

O escritor Nelson Rodrigues (1912-1980) contou que o jornalista Roberto Marinho (1904-2003), fundador da Rede Globo, indagado certa vez sobre se não se importava com o fato de tanta gente mentir para ele, teria respondido: “Sei que muita gente mente para mim, mas, se eu tivesse que viver desconfiando de todo mundo, preferiria não viver”.

Todos os cínicos e céticos que pregam a dúvida constante (que não deixa de ser essencial ao conhecimento em alguma medida) muitas vezes não pensam que o cinismo deforma a alma. A fronteira entre o ceticismo e o desespero corre sobre o fio de uma navalha.

OS DEMÔNIOS DE DOSTOIÉVSKI

O romance *Os demônios* (1872), de Dostoiévski, foi apontado pelo próprio autor como uma fenomenologia do mal. Nele, o mal pode ser abordado de diversas maneiras. Uma delas, talvez a mais sofisticada, tem a ver com o "equívoco" (ou mentira) cometido pelo próprio narrador. Este, logo no começo do romance, afirma que tudo que se segue no livro foi contado a ele e que ele mesmo não faz parte da história. De repente, no meio da trama, esse narrador se torna um dos personagens. O que significaria isso? Fosse Dostoiévski um escritor qualquer, pensaríamos tratar-se de um erro medíocre. Mas, sendo ele quem é, supomos haver um sentido por detrás de seu "erro".

Esse sentido está intimamente associado ao tema do romance: o niilismo. Se os niilistas (e os personagens principais o são de diversas formas) estiverem certos, não há problema em mentir, mesmo se você é o responsável pela narrativa. Ser niilista é negar que exista diferença entre verdade e mentira. É dizer que a verdade é mero ponto de vista. É dizer que se pode mentir porque a verdade não existe – o que professores de filosofia ou sociologia ou história costumam ensinar para os seus alunos hoje em dia.

O narrador de *Os demônios* representa toda a moda niilista da época (e de hoje) e sua negação de qualquer consequência moral ao narrar algo que não aconteceu daquela forma. O romance é um enorme falso testemunho, na medida em que não sabemos se o narrador é apenas idiota ou se está de fato mentindo, já que, ao contrário do que havia proclamado no início do livro, ele se torna parte e testemunha da trama.

Se não existe diferença entre verdade e mentira, não há problema em contar histórias falsas. Em *Os demônios*, a verdade parece ser um mero ponto de vista ou uma invenção – como se dissesse que, neste mundo, a confiança é impossível. Nem mesmo Macbeth, que disse que um idiota era o narrador do roteiro da vida – "cheia de som e fúria, significando nada" –, imaginou que esse idiota – ainda que fosse mau – seria um mentiroso.

O narrador de *Os demônios* vai além da expectativa puramente trágica da peça de Shakespeare, porque mesmo a tragédia é uma forma de verdade, e a tristeza é triste, mas guarda algum sentido. Quando contar mentiras sobre as pessoas já não implica estar em falta com a verdade, nós nos vemos sozinhos diante do nada – no latim, *nihil*, termo/conceito do qual surgirá a palavra "niilismo". Um mundo sem confiança é um mundo imerso na ausência de vínculos, no nada.

O INFERNO MORAL

O que seria uma vida como inferno moral?

O oitavo episódio de *O Decálogo* trata da angústia moral persistente de uma mulher que, quando fazia parte da resistência ao nazismo na Polônia, contou uma mentira. Ela disse a um padre que não podia cuidar de uma menina judia porque estava sendo vigiada pela Gestapo, o que não era verdade. Essa mentira poderia ter custado a vida à menina.

A mulher tornou-se, após a guerra, uma importante professora de ética da Universidade de Varsóvia e intitulou um de seus cursos justamente assim: "Inferno moral". Angustiada com a mentira contada décadas antes, um dia ela tem uma chance de se redimir, ao encontrar-se com a sua vítima, que agora é, também ela, professora de ética, além de tradutora da obra daquela mulher que quase a condenou à morte no passado. Ao final do episódio, a professora polonesa confessa sua culpa à vítima potencial de sua mentira, encontrando finalmente a paz interior.

A ideia de que a culpa moral constitui o centro da vida é cara à tradição judaico-cristã, como também à psicologia moral evolucionista. Para que haja culpa é necessário que o agente moral sinta que faltou com a verdade prática (como se fala em filosofia). Sem culpa, portanto, não existe vida moral, que só respira quando a possibilidade do "inferno" (como signo de sofrimento moral) de fato existe. Diante do niilismo não existem culpados.

Eu, que todo dia tomo café da manhã com o niilismo, que o conheço intimamente, reconheço que a possibilidade, pelo menos simbólica, do inferno é uma garantia da vida moral. Muitas pessoas "bem resolvidas" negam esse fato porque entendem que, ao dizermos "inferno", o que está em jogo são apenas representações ingênuas, animadas por narrativas fantásticas. Contudo, os olhos vidrados de culpa de uma pessoa que reconhece ter cometido falso testemunho nos humanizam e nos dão esperança.

O Nono Mandamento

Não desejarás a mulher do próximo.

Na Bíblia hebraica:

Não cobiçarás a casa de teu próximo; não cobiçarás a mulher de teu próximo[.]

O GOSTO DE MULHER

O Nono Mandamento talvez seja o mais famoso de todos por tratar do desejo sexual fora do lugar. Desejar a mulher do próximo muitas vezes é algo visto como machista. Como não levo a sério esse "conceito" há muito tempo, não considero tal possibilidade objeto de discussão.

Aos olhos contemporâneos, esse mandamento, hoje, poderia se referir ao "homem da próxima", ou à "mulher da próxima", ou ao "homem do próximo". Contudo, prefiro aqui me manter fora das modas interpretativas e pensar no que é desejar uma mulher que pertence a outro homem. E por que me mantenho fora das modas? Porque, como dizia Coco Chanel (1883-1971), a moda passa, mas o estilo fica. Original é sempre o estilo. Não são importantes as discussões sobre gênero, apenas as sobre sexo. Portanto, este livro não é escrito para feministas, que, aliás, nada entendem de mulher.

A mulher como figuração do pecado é um clássico. E qualquer homem que tenha provado o gosto de uma mulher sabe o que significa isso. Esse gosto confunde o pensamento, faz o discernimento falhar. Os medievais, como André Le Chapelain (século XII), diziam que, quando um homem se apaixona por uma mulher, ele perde o patrimônio, e ela, a reputação (ele tinha em mente a mulher casada como objeto de desejo).

A mulher como pecado significa que, por causa dela, o homem se perde. Claro que se pode interpretar esse fato como um modo de culpabilização da mulher pelos desejos do homem. Mas não é isso o que me interessa no Nono Mandamento. O que importa é o fato de que parte da vida em sociedade depende da capacidade dos homens de não mexer com as mulheres "que já têm dono". O amor e o desejo, entretanto, não respeitam limites legais. Até Deus, o Eterno, teve de se preocupar com o gosto de mulher.

DAVI E BATSHEVA

Poderoso e ambicioso, Davi era o bem-amado de Deus, pois nunca tentou mentir para Ele. Como vimos, mentir para Deus é impossível, e a disposição em reconhecer o próprio pecado encanta o Eterno porque transforma o pecador em um homem corajoso o bastante para enfrentar seus demônios. E todos nós temos de enfrentar nossos demônios se queremos nos tornar adultos. A consciência do pecado (entendido como a recusa de viver segundo os mandamentos) é essencial para a redenção de uma pessoa.

Volto a Davi. Um dia, ele se apaixonou por Batsheva (Betsabá, em português). A fim de poder ficar com ela, decidiu mandar o marido dela, Urias, fiel general de seu exército, para uma missão suicida. A união de Davi e Batsheva, porém, estava manchada, pois o rei, além de ter conduzido seu general à morte, já "conhecera", no sentido bíblico, a esposa do amigo. Ela era uma adúltera. Em nome do gosto de uma mulher amada vale tudo, até mesmo enfrentar a possível ira do Eterno.

As adúlteras e as inférteis bíblicas são mulheres de grande peso dramatúrgico e moral na literatura semítica (tanto no Velho quanto no Novo Testamento). Elas carregam sobre si o peso do pecado e da maldição que só uma mulher pode sofrer (a maldição de levar o homem reto a se perder no desejo adúltero e a maldição da infertilidade). Ao final, comumente elas são perdoadas e assumem um papel importante como personagens que representam a redenção de uma alma em agonia, como é o caso de Batsheva, que termina seus dias com Davi.

As dores da adúltera e da infértil não serão esquecidas pelo misericordioso Eterno. A luta contra os desejos da carne é um dos maiores símbolos do embate do homem e da mulher no cotidiano, e a Bíblia é um livro sobre o cotidiano. Mesmo que tenha adquirido um enorme significado religioso (no sentido de falar de um personagem de alguma forma sobrenatural), a literatura hebraica antiga é sobre o cotidiano de um povo, suas agonias e superações, e sua relação com seu Criador.

Davi cantará nos *Salmos* sua dor e seu temor a Deus, que, por sua vez, se encantará com tamanha humildade e sinceridade. Deus não resiste à sinceridade do coração.

OTELO E O MEDO DA ESPOSA ADÚLTERA

Uma das maiores angústias do homem é a possibilidade de ser traído pela mulher que ama, como expôs Shakespeare em *Otelo*. O mouro não foi traído por Desdêmona, sua bela esposa, mas pouco importa – eis a tragédia: todo homem desconfia facilmente da mulher que ama. Se não desconfia, é porque não ama. São poucas as mulheres que entendem isso sem se deixar contaminar pelo blá-blá-blá do feminismo.

Os evolucionistas justificam tal insegurança do homem dizendo que ela se deve à incerteza dele a respeito de sua prole. O homem nunca está certo de que é o pai dos filhos gerados por sua mulher. Exames de DNA importam pouco, pois, se forem cogitados pelo casal, é sinal de que a relação caminha para o fim.

Sendo assim, o Nono Mandamento também indica que a confiança de um homem em sua mulher parece ser condição necessária à vida em sociedade, a menos que o homem queira apenas sexo.

A IMPOTÊNCIA, A SUTILEZA E A DELICADEZA

O medo masculino da impotência é, muitas vezes, a porta de entrada para a infidelidade feminina. Contudo, pode ser um fantasma para ele, e não para ela. Na era do Viagra, ainda existe o risco da impotência que ultrapassa qualquer possibilidade de cura química. Fino psicólogo, o "teólogo" Kieslowski conta no nono episódio de *O Decálogo* a história de um médico impotente, cuja esposa, que o ama, é arrastada ao adultério.

A infidelidade, porém, se deve antes de tudo à incapacidade do marido em explorar com ela outras formas de vida amorosa e sexual, além da "simples" penetração. Mulheres e homens podem ser levados à infidelidade por falta de amor e desejo, e não apenas por falta do coito trivial. Na leitura sutil do Nono Mandamento por Kieslowski, só se deseja a mulher do próximo quando se deixa de desejar a própria mulher. O médico impotente deseja tanto uma paciente que chega a acompanhar os movimentos das suas mãos (e quando um homem observa as mãos de uma mulher é porque a deseja monstruosamente).

Esse mandamento, como os demais, pretende erguer o mundo acima da vida imediata, até um lugar invisível de bens metafísicos. Porém, o mundo suspenso no ar pelos mandamentos, como dizem os rabinos, pode ser simplesmente um lugar no qual a existência demanda algo além do instinto puro e simples: pede sutileza e delicadeza. A civilização está sempre em conflito com o instinto.

O Décimo Mandamento

Não cobiçarás as coisas alheias.

Na Bíblia hebraica:

[Não cobiçarás] seu servo, sua serva, seu boi, seu asno e tudo o que for de teu próximo.

TODA A FORTUNA DO OUTRO

Na versão hebraica não há, a rigor, um Décimo Mandamento, mas sim um último mandamento, que reúne a mulher e demais bens do próximo. Neste livro, optei por seguir a tradição cristã e separar a mulher (o maior de todos) dos demais bens materiais vivos, incluindo animais e servos. Esses outros bens dotados de vida acabaram por constituir o Décimo Mandamento. A divisão, antes de tudo, parece ter sido didática.

O último mandamento bíblico resume as principais coisas que uma pessoa na Antiguidade poderia reunir em sua vida graças ao trabalho. Reconhecer o valor daquilo que ela guarda e produz é essencial se quisermos reconhecer o que há de valor real no mundo.

Um valor jamais é abstrato. E o esforço só se justifica na medida em que ele se materializa em valores concretos. É sobre a matéria que repousa o espírito do valor. Só os ingênuos ou os mentirosos negam isso. Respeitar o valor daquilo que pertence ao outro é entender que o fruto do trabalho desse outro é o rastro que ele deixa em sua vida. Cobiçar os bens do outro, em vez de construir os seus próprios bens, é ser incapaz de produzir valores concretos no mundo.

Até o senso comum sabe disso, ao reconhecer que palavras são vãs e que são os atos reais que falam do caráter de uma pessoa. Aquele que cobiça é, em si, um preguiçoso que não segue o desejo de Deus de que trabalhemos junto a Ele, a fim de que este mundo seja uma casa para todos.

RECONHECER OS VALORES

O mundo contemporâneo flerta com a negação da própria noção de valor. No décimo episódio de *O Decálogo*, um colecionador de selos morre sozinho em sua casa, porque nunca deu atenção (ou valor?) à esposa ou aos filhos. Solitário e milionário.

Seu corpo é encontrado apenas quando já está em estado de putrefação. Como nunca deu valor à família, foi esquecido pelo mundo. Seus filhos são representantes máximos de uma sociedade centrada na cobiça, já que só pensam em si mesmos, como todos nós. Como não têm ideia do valor da coleção de selos de seu pai, acabam por perdê-la para ladrões. Reconhecer o valor das coisas é um modo de consciência da realidade a sua volta. No limite, a ideia de valor nasce daquilo que não podemos ter, mas lutamos para ter. Contudo, em vez de cobiçar, devemos trabalhar para ter nosso próprio valor. Não é à toa que a dignidade de uma pessoa depende de ela ser capaz de se sustentar na vida.

O filho caçula do colecionador é um roqueiro famoso. Sua música fala que podemos ter tudo o que quisermos porque "o mundo é nosso". Não, o mundo não é nosso. Mas participamos dele, na medida em que doamos valor a ele pelo nosso trabalho.

+ um
O Décimo Primeiro Mandamento

Terás esperança no mundo.

E em uma versão longa:

Amarás o mundo apesar das dores, das incertezas, das contingências, das guerras e da morte. Colocarás tua esperança no Eterno porque só Ele é capaz de aliviar as agonias da criatura.

KAFKA E O PECADO DO PESSIMISMO

Em *Conversas com Kafka* (1951), Gustav Janouch (1903-1968) conta que, certa tarde, disse ao escritor que não conseguia entender nada do que ele expunha. Kafka então respondeu que deveria ser a misericórdia de Deus que impedia Janouch de entender, pois um jovem como ele seria arruinado pelo pessimismo que atormentava o escritor naquele dia – Gustav era vinte anos mais novo do que o autor de *A metamorfose*. Para Kafka, um jovem não deveria ser exposto ao pessimismo de forma tão cruel. Concordo com ele, apesar de também sofrer do mesmo pecado de Kafka, o pessimismo.

Outro amigo de Kafka, Max Brod, relata que teria perguntado ao escritor a razão de seu tão grande pessimismo e se ele achava que havia alguma esperança para o mundo. Kafka teria respondido que havia, sim, muita esperança, "mas não para nós".

A tradição judaica reconhece o pessimismo como uma forma terrível de pecado. Se o próprio Deus olhou para a sua Criação e disse que ela era boa, quem somos nós para pensarmos o contrário? Existe um número infinito de razões para descrermos do mundo. Por isso mesmo um décimo primeiro mandamento deve ser um alerta contra tal blasfêmia, antes de tudo. O pessimismo é mais forte do que o sexo, na medida em que a depressão arruína a libido.

A TENTAÇÃO DO PESSIMISMO

As tentações da carne são longamente tratadas pela fortuna crítica bíblica. Conforme Santo Agostinho ou Blaise Pascal, elas podem ser tanto as tentações do sexo quanto as do dinheiro e as do poder exercido sobre a vida e o corpo de outrem. As tentações do intelecto vão, que produz conhecimento inútil ao homem, também enchem nossos livros e a nossa alma como "murmúrio", como diziam os medievais. As tentações da vontade aniquilada pelo orgulho talvez sejam as mais profundas, porque corroem toda a capacidade intelectual de pensar e de reagir à própria vaidade.

São Tomás de Aquino (1225-1274) pensava que o coração, motor da alma e da vontade, podia cair sob o domínio do Mal e, por isso mesmo, sucumbir à teoria pessimista do mundo. Sintoma disso era a tristeza profunda, ou acédia, chamada por muitos de melancolia. A filosofia produzida por um intelecto caído na melancolia seria necessariamente pessimista. No limite, nos levaria à preguiça, que é um ceticismo da matéria, como dizia o filósofo romeno Emil Cioran (1911-1995).

A tentação do pessimismo atravessa a filosofia porque a felicidade humana, como afirmava Freud (1856-1939), não parece fazer parte dos planos do Criador. Para os trágicos gregos, somos animais sacrificados no altar de um destino cego. Schopenhauer (1788-1860) pensava que a essência do mundo era uma vontade cega e irracional que nos levaria sempre à dor ou à renúncia final da vida.

Certa vez, um aluno me perguntou em sala de aula por que os principais filósofos que estudávamos eram pessimistas. Eu respondi que assim ocorria porque os otimistas eram superficiais e passavam tão rapidamente como o vento. Para um pessimista como eu, o otimismo parece uma forma de filosofia barata a serviço do medo. A esperança no mundo talvez seja um dom que muitos têm, mas do qual eu fui privado. Se um dia eu tivesse a chance de ver Deus, seria isso – a esperança – que eu pediria ao Eterno.

AMOR COMO CONDIÇÃO

Em *O banquete*, Platão apontou a necessidade do amor para o conhecimento. A tradição judaico-cristã entende o amor como condição ontológica e epistemológica. O que sustenta a Criação não é sua justificativa ontológica, já que sua raiz é a vontade livre de Deus (o mundo só existe porque Deus quer e não porque seja necessário). Logo, a Criação é ontologicamente contingente (se Deus mudar de ideia, acaba tudo). Portanto, somos seres da contingência, e isso nos causa certo horror, como tão bem apontou Nicolai Berdiaev. É o cuidado de Deus, Aquele que carrega o mundo na palma da mão (imagem bíblica comum), que sustenta tudo que existe. Portanto, a raiz ontológica do mundo é o amor. É ele que justifica a existência do mundo.

O amor, contudo, é incognoscível, como nos ensina Kierkegaard, quando diz que só se pode conhecê-lo por seus frutos. E seus frutos sempre brotam em um mundo oposto ao mundo do medo. Para amar é preciso ter coragem. E o amor é irmão da esperança improvável. Pois toda esperança que importa é improvável.

Kierkegaard diz que a sinceridade de quem ama o torna praticamente inacessível à mentira. Aquele que ama parece um bobo porque habita um mundo diferente do mundo dos desesperançados. Para mim, uma pessoa que tem esperança é quase um animal de outra espécie.

CAMINHAR AO LADO DE SEU DEUS

Só existem duas formas de ter uma verdadeira esperança no mundo: ou pela graça de Deus, que faz alguns de nós termos fé no mundo, ou com a ajuda da coragem, irmã gêmea da esperança. O mundo é incerto, falso, sofrido, insustentável. Só iludidos ou mentirosos negam esse fato. A menos que olhemos o mundo com outros olhos – frase que pode ser dita facilmente por um orgulhoso que acha que compreendeu a totalidade da vida.

No judaísmo, o pessimismo é um pecado, pois ele pode ser fruto do orgulho e da idolatria de si mesmo. Só alguém que acha que sabe a realidade em toda a sua profundeza, intensidade e extensão pode chegar à conclusão gnóstica, que é semelhante à do Marquês de Sade (1740-1814), de que não temos motivo para ter esperança no mundo, pois, se existe um deus, ele certamente é mau. E, se ele não existe, estamos abandonados em meio à indiferença geral dos elementos naturais.

Contudo, a ideia do mandamento é justamente esta: criar as condições práticas no cotidiano para vermos aquilo que em geral não vemos, pois estamos cegos de orgulho, revolta e medo, como diria Santo Agostinho. Deus é, afinal, uma hipótese elegante porque nos fala de um mundo onde a beleza, como dizia Dostoiévski, pode salvar nosso cotidiano da banalidade e nossa existência do vazio. Viver segundo os mandamentos nos abriria os olhos para uma realidade além das necessidades imediatas de uma vida presa ao desespero, que sempre nos torna de alguma forma mesquinhos.

As *mitzvot* (ou os Mandamentos) erguem um novo mundo sobre as coisas banais da vida, como diz a sabedoria rabínica, e, por serem fruto da vontade do Eterno, colocam a eternidade no seio da existência, iluminando aqueles que caminham sobre tumbas e que, ao lado de Deus, vivem entre o mistério e o milagre, como afirmava Rosenzweig.

Como já mencionei, a Bíblia é um livro sobre o cotidiano de um povo que foi chamado a meditar sobre o milagre da existência. E o milagre é um conceito central da cosmologia bíblica. Tudo existe porque saiu das mãos de um Criador que, em Sua plenitude, de nada precisa.

Santo Agostinho escreveu que temos de escolher entre viver conforme a natureza ou conforme a graça. A natureza, sempre voltada para si mesma, é eternamente insatisfeita e, por isso mesmo, sempre infeliz. Como disse o cineasta Terrence Malick (1943), mesmo que o mundo em torno brilhe de alegria, se vivermos apenas conforme a natureza, nós seremos sempre tristes.

O homem bíblico é um personagem cuja consciência, quando habitada pela vontade do Eterno, tem diante de si um grande desafio: viver entre o mistério e o milagre. O mistério é o ar que esse homem respira. O milagre da Criação deita suas raízes ontológicas no vazio de ser, e é desse vazio que o homem é tirado pela vontade do Eterno. O cotidiano, assim acompanhado por Deus, é tudo, menos banal. Felizes os que podem perceber isso em meio às atribulações que afetam a todos nós, criaturas da graça ou do desespero.

Índice remissivo

Sobre o autor

Luiz Felipe Pondé (Recife, 1959) é filósofo, professor da Pontifícia Universidade Católica de São Paulo (PUC-SP) e da Fundação Armando Álvares Penteado (FAAP), além de colunista da *Folha de S.Paulo*. É mestre em filosofia pela Universidade Paris VIII, mestre e doutor em filosofia pela Universidade de São Paulo (USP) e pós-doutor pela Universidade de Tel Aviv. É autor de, entre outros, *A era do ressentimento: uma agenda para o contemporâneo* (LeYa, 2014), *O catolicismo hoje* (Benvirá, 2011), *Contra um mundo melhor: ensaios do afeto* (LeYa, 2010) e *Do pensamento no deserto: ensaios de filosofia, teologia e literatura* (Edusp, 2009). Pela Três Estrelas, lançou, junto a João Pereira Coutinho e Denis Rosenfield, *Por que virei à direita* (2012).

Este livro foi composto na fonte Albertina
e impresso em agosto de 2015 pela Intergraf,
sobre papel pólen bold 90 g/m².